Lukas

Vier Jahre Hölle und zurück

Lukas, 15, gerät in die Klauen
einer der mächtigsten Satans-
sekten Deutschlands.
Seine erste Lektion:
Wer aussteigt, muss sterben.

D1225418

BASTEI
LÜBBE

BASTEI LÜBBE TASCHENBUCH
Band 61339

1.–9. Auflage: 1995 – 2000
10. Auflage: Februar 2002
11. Auflage: Mai 2002
13. Auflage: Februar 2004
14. Auflage: Februar 2005
15. Auflage: Mai 2006

Bastei Lübbe Taschenbücher in
der Verlagsgruppe Lübbe

Originalausgabe
© 1995 by Verlagsgruppe Lübbe GmbH & Co. KG,
Bergisch Gladbach
Umschlaggestaltung: Gisela Kullowatz
Titelbild: Mechthild Op Gen Oorth, Köln
Satz: Textverarbeitung Garbe, Köln
Druck und Verarbeitung: Ebner & Spiegel, Ulm
Printed in Germany
ISBN-13: 978-3-404-61339-7 (ab 01.01.2007)
ISBN-10: 3-404-61339-2

Sie finden uns im Internet unter
www.luebbe.de

Der Preis dieses Bandes versteht sich einschließlich
der gesetzlichen Mehrwertsteuer.

Vorwort

Satanismus heute
von Pfarrer Jürgen Hauskeller

»Von dem, was in diesem Buch steht, glaube ich kein Wort. – So etwas gibt es doch in Wirklichkeit nicht, doch nicht hier bei uns in Deutschland.«

Das werden vielleicht Ihre Gedanken sein, wenn Sie dieses Buch gelesen haben.

Vor zwei Jahren hätte ich nach der Lektüre eines solchen Buches genauso reagiert. Damals, im April 1993, wurde in meinem Wohnort Sondershausen Sandro B. von drei Gymnasiasten ermordet. Die drei Täter und einige Freundinnen und Freunde hatten sich jahrelang mit satanistischem Gedankengut beschäftigt – über Videos, Literatur und Musik. Denn es gibt eine Subkultur, durch die die Ideologie des Satanismus über Bilder, Bücher und Bands transportiert und vor allem an Jugendliche herangetragen wird.

Auch die Richter haben während der Verhandlung gegen die Mörder von Sandro B. erkannt, dass der Einfluss des Satanismus in der Entwicklungsgeschichte der Jugendlichen ausschlaggebend dafür war, dass es zu Wesensveränderungen und schließlich zu der grauenvollen Tat kam. Was sich in Sondershausen gezeigt hat, war Satanismus in einem frühen Stadium.

Für die Tötung von Sandro in einem rituellen Zusammenhang, etwa im Rahmen einer schwarzen Messe, gibt es keinen Anhaltspunkt. Die Tat ist also kein Ritualmord gewesen. Aber die These, dass der Satanismus in Sondershausen eine Erfindung der Medien und der Presse gewesen sei, ist durch Fakten und Feststellungen im Gerichtssaal während des Prozesses vor dem Landgericht in Mühlhausen eindeutig widerlegt worden. Erschüttert mussten wir feststellen, was Satanismus selbst in dieser noch unterentwickelten Form, mit schwachen Organisationsformen, mit lächerlich anmutenden Ritualen, aber mit ideologischem Hintergrund und einer starken Führerpersönlichkeit, für ein Unheil anrichten kann und welche Gefahr dieses Gedankengut für die Jugendlichen darstellt.

In einer Studie des Institutes für Psychologie der Friedrich-Schiller-Universität in Jena vom Herbst 1994 wird nach einer repräsentativen Befragung von 1.367 Schülern an den Regelschulen und Gymnasien Thüringens festgestellt, dass 35,3 Prozent der Schüler Praxiserfahrungen im Bereich des Okkultismus haben. Die meisten haben dabei das Kartenlegen, Pendeln und Gläserrücken genannt. Zu Erfahrungen mit schwarzen Messen hat sich ein Prozent der Schüler bekannt. Auf die Schülerschaft in Thüringen übertragen würde das bedeuten, dass über 2.000 Schüler satanistische Erfahrungen haben. Diese Thüringer Erhebung deckt sich fast genau mit Vergleichszahlen aus Rheinland-Pfalz, und in den übrigen Bundesländern dürfte die Situation ähnlich sein. Lehrer und Jugendsozialarbeiter haben mir bestätigt, dass vor allem an Gymnasien und Berufsschulen satanistische Erscheinungen bei Jugendlichen festgestellt werden. Dabei dürfte die Dunkelziffer verhältnismäßig hoch sein.

Die Gründe dafür sind vielschichtig und nicht auf einen Nenner zu bringen. Der Reiz des Magischen, die Verfügungsgewalt böser Mächte, eine Ideologie, die Stärke verleiht, Härte abverlangt und Gewalt als Mittel heiligt, eine Sache, die einfach etwas Besonderes und ungeheuer aufregend und geheimnisvoll ist – das alles übt auf manche Jugendliche eine große Anziehungskraft aus.

In den letzten Jahren sind mir noch ganz andere Erscheinungsformen des Satanismus bekannt geworden. Lukas, der in diesem Buch seine Erfahrungen erzählt, habe ich persönlich kennen gelernt. Mich hat seine Geschichte damals sehr aufgewühlt. Inzwischen weiß ich, dass sie wahr und beileibe kein Einzelfall ist. Auch mit Marlies, die ihn in seiner Ausstiegsphase betreut und die das Nachwort dieses Buches geschrieben hat, habe ich gesprochen. Lukas ist nicht der einzige Betroffene geblieben, der bei ihr Rat und Hilfe gesucht hat. Sie betreut inzwischen noch andere, die sich vom Satanismus lösen wollen oder gelöst haben.

Andere, die das Phänomen Satanismus in Deutschland untersuchen, haben mir das bestätigt, was in diesem Buch als Erfahrungsbericht eines Jugendlichen niedergeschrieben ist: Es gibt eine harte Satanismusszene in Deutschland, die logenartig organisiert und international vernetzt ist. Im Rahmen ihrer Riten kommt es neben anderen Vergehen auch zur Tötung von Menschen und zur Opferung von neugeborenen oder noch ungeborenen Kindern. Unabhängig davon, ob man jedes Detail des Erfahrungsberichts in diesem Buch akzeptieren kann oder nicht, die Gesamtdarstellung der satanistischen Szene mit ihrer Brutalität und Perversität entspricht der Wirklichkeit. Diese Szene ist nicht mehr nur Tummelplatz verirrter Jugendlicher, sondern Betätigungsfeld von Erwachsenen aus nahezu allen Berufsgruppen und gesellschaftlichen Schichten. Es dürfte sicher sein, dass sich der Nachwuchs und der Zuwachs aus solchen Jugendlichen rekrutiert, die in ihrer Entwicklungsphase auf der Suche nach Lebensinhalten dem satanistischen Gedankengut verfallen sind.

Die Frage, die nach der Lektüre dieses Buches im Raum steht, lautet: Wie kann so etwas mitten unter uns geschehen, ohne dass der Staat, die Polizei und die Justiz eingreifen? Da werden doch Verbrechen begangen, Frauen vergewaltigt, Menschen umgebracht! Die Strafverfolgung muss doch tätig werden! Wie kann das ungeahndet bleiben?

Die Erfahrung zeigt, dass Ermittlungen sich äußerst schwierig gestalten. Der Geheimhaltungsgrad in satanistischen Gruppen ist sehr hoch. Aussteiger sind in höchstem Maße gefährdet und müssen mit ihrer Ermordung rechnen. Das ist auch der Grund, warum in diesem Buch keine Ortsnamen genannt werden und alle anderen Namen geändert sind. Für eine gerichtliche Verfolgung solcher Untaten stellt der Rechtsstaat sehr hohe Anforderungen an das Beweismaterial, an Opfer und Zeugen. Daran scheiterten bisher Versuche einer Strafverfolgung. Die skandinavischen Länder, vor allem Norwegen, erlebten in den letzten Jahren eine Welle satanistischer Gewalt. Menschen wurden getötet, über zwanzig Kirchen brannten nieder. Die Justiz ist oft machtlos.

Das Wort »Hilflosigkeit« beschreibt die Situation in Deutschland vielleicht am treffendsten. Wenn ein Betroffener sich hier bei der Polizei meldet und Informationen über satanistische Aktivitäten zu Protokoll geben will, wird er in der Regel wieder weggeschickt, weil der Polizeibeamte dem Bericht keinen Glauben schenkt. Bestenfalls wird das Protokoll in einem Ordner abgeheftet. Nicht selten werden Leute, die Angaben über satanistische Umtriebe machen wollen, ausgelacht, weil die Beamten die Berichte als unglaubwürdige Übertreibungen abtun.

Die Ignoranz der Gesellschaft gegenüber dem Satanismus als einer okkulten Erscheinungsform mit krimineller Energie ist noch immer groß. Unkenntnis, Gleichgültigkeit und mangelnde Bereitschaft, sich mit so etwas Schrecklichem auseinander zu setzen, gehen dabei Hand in Hand. Einzelne Fälle erregen kurzzeitig Aufsehen, so in den USA der Prozess gegen den Satanisten Charles Manson und seine Anhänger, die die schwangere Schauspielerin Sharon Tate Polanski, ihre vierköpfige Partygesellschaft und ein Ehepaar aus der Nachbarschaft abgeschlachtet haben. Das war 1969.

Vor ein paar Jahren hat es in England unter dem Druck von Betroffenen-Initiativen und der Öffentlichkeit eine Unterhausdebatte über Verbrechen und kriminelle Vergehen satanistischer Gruppen gegeben. Das Ergebnis dieser Debatte war die Einsetzung einer Sonderkommission bei Scotland Yard. Das ist bisher die einzige parlamentarische Erörterung dieses internationalen und gesellschaftlichen Problems mit einer konkreten politischen Entscheidung geblieben.

Auch in der Bundesrepublik Deutschland müssen die politisch Verantwortlichen nach Wegen suchen, wie sie ihre Bürger vor den Gefahren des Satanismus schützen können. Die erste Voraussetzung dafür ist, dass Polizei- und Justizapparat mit der Ideologie und den Praktiken satanistischer Gruppen vertraut gemacht werden, um Kenntnis und Verständnis zu verbessern. Das würde auch zur Sensibilisierung und zu größerer Aufmerksamkeit für dieses Phänomen beitragen. Und es würde das Vertrauen schaffen, das notwendig ist, damit Aussteiger und Betroffene Mut bekommen, Aussagen zu machen und Erlebtes zu Protokoll zu geben.

Es ist erfreulich, dass es ein Netz von Beratungsstellen, Betroffenen-Initiativen und Sekten-Informationsstellen gibt, die für Hilfe und Information, Beratung und Begleitung zur Verfügung stehen. An sie sollten sich Betroffene und deren Angehörige zuallererst wenden, wenn es Probleme gibt. Anschriften solcher Stellen finden Sie im Anhang dieses Buches.

Doch darüber hinaus ist es die Aufgabe der Gesellschaft, die Gefahr, die vom Satanismus ausgeht, zu erkennen und zu bekämpfen. Das muss vorbeugend durch Information und Aufklärung erfolgen.

Hier sind vor allem die Schulen, Jugendorganisationen, die Kirche und die Eltern gefragt. Das muss aber auch durch Strafverfolgung geschehen, und das ist Aufgabe des Gesetzgebers, der Polizei und der Justiz.

»Von dem, was in diesem Buch steht, glaube ich kein Wort. – So etwas gibt es doch in Wirklichkeit nicht, doch nicht hier bei uns in Deutschland.«

Das werden vielleicht Ihre Gedanken sein, wenn Sie dieses Buch gelesen haben.

Es ist die Wirklichkeit. Auch wenn uns so etwas unbekannt, vor uns verborgen ist und nur gelegentlich spektakulär an die Öffentlichkeit gelangt. Auch wenn es unglaublich und unfassbar erscheint: Was dieses Buch erzählt, ist ein Stück unserer Wirklichkeit.

1

Da war er wieder, der Mann mit dem Messer. Etwa zehn, zwölf Meter von mir entfernt. Ich stand auf einem weiten Platz, im Hintergrund ragten Hochhäuser in einen orangeroten Abendhimmel. Aus pechschwarzen, weit versprengten Wolkenfetzen fiel leichter Regen herab. Das Pflaster war übersät mit Leichen. Menschenleichen. Doch niemand schien sie wahrzunehmen. Leute hetzten über den Platz, so sehr mit ihren eigenen Gedanken beschäftigt, dass ihnen nicht auffiel, wie der feine Nieselregen ihre Regenschirme rot färbte. Der Mann mit dem Messer steuerte langsam auf eine Frau zu. Das weiße, blutgetränkte Hemd klebte auf seiner Haut, seine dunklen, nassen Haare hingen ihm strähnig ins Gesicht. Aus seinen Haarspitzen tropfte Blut. Es war der Regen – denn es regnete Blut. Vor einer Frau im zinnoberroten Kleid mit rostroten Haaren blieb der Mann stehen. Was jetzt passieren würde, wusste ich. Aber ich konnte nichts tun. Nichts. Mein Körper versagte, ich musste zuschauen. Regungslos. Atemlos. Wie festgewachsen hafteten meine Füße am Asphalt, meine Zunge klebte am Gaumen. Ich wollte die Frau warnen, versuchte, einen Schrei aus meiner Kehle zu pressen, aber ich brachte keinen Laut hervor. Also musste das Unvermeidliche geschehen: Langsam, fast zärtlich, schob er sein Messer zwischen ihre Rippen. Lautlos sackte ihr junger Körper vor seinen Füßen zu Boden. Mit gleichgültiger Verachtung stieg der Mörder über die tote Frau hinweg. Sein letztes Opfer. Waren die anderen Menschen auf dem Platz denn blind? Sahen sie nicht, was hier geschah? Kein Lüftchen regte sich, gespenstische Stille lag über dem Platz.

Die anderen hatten nichts bemerkt. Aber ich, ich hatte es gesehen. Mir war, als müsste ich ersticken. Wegrennen wollte ich, raffte alle Kraft zusammen, aber ich kam nicht von der Stelle. Der Blick des Mörders schweifte suchend umher. ... Und plötzlich stand er vor mir, den Mund verzogen zu einem schiefen Lächeln, sein Blick stahlhart, kalt und leer – ich sah in die Augen eines Menschen, der keine Gefühle kennt. Er hob das Messer gegen mich. Siegessicher und überlegen. Todgeweiht und hilflos starrte ich auf die blitzende Klinge – nein! Nein!

Schreiend wachte ich auf. Zitternd, nass geschwitzt, mit rasendem Puls.

Vorbei. Davongekommen. Ich hatte es wieder einmal geschafft. Aufzuwachen, bevor er mich umbringen konnte. Ich kenne ihn gut, diesen Traum. Gewöhnen werde ich mich wohl nie an ihn. Er begleitet mein Leben seit meinem fünfzehnten Geburtstag. Dem Tag, als ich Satans Jünger traf.

Aufgewachsen bin ich in diversen Heimen. Mit elf Jahren hatte ich das Jugendamt um eine Einweisung gebeten. Ja, ich. Damals wollte ich nur eins: weg von zu Hause. Von meinem sinnlos prügelnden, türkischen Stiefvater mit seiner stinkenden Alkoholfahne und von meiner mutlosen, eingeschüchterten Mutter, die keine eigene Meinung hatte. Die ihre fünf Kinder nicht einmal gegen die üblen Launen und schreienden Ungerechtigkeiten unseres Stiefvaters verteidigen konnte.

An meinem fünfzehnten Geburtstag gab's für mich zwei Tage Heimurlaub. Zum Feiern. Als ob ich je meinen Geburtstag gefeiert hätte. Geburtstagsgeschenke und Geburtstagspartys kannte ich nur durch Mitschüler und Nachbarskinder.

Aber gut, dann hatte ich eben frei. Zwei ganze Tage, die wollte ich nutzen. Ich entschied mich, zu meiner Schwester zu fahren. Bei ihr durfte ich übernachten, wenn die Heimleitung mir Ausgang gewährte. Aber wann und ob ich dort auftauchte, war den Erziehern egal. Nachgefragt hat da keiner. Genau wie im vergangenen Jahr an meinem Geburtstag, begab ich mich in die nächstbeste Diskothek, spendierte mir ein Bier und trank auf mein Wohl. Mies gelaunt und sauer über so einen Scheißgeburtstag hing ich an der Theke. Und an meinem Bier. Ich hatte nur einen Wunsch und ein Ziel an diesem Abend: jemanden aufzumischen, zu verprügeln, irgendeinem Typen eine reinzuschlagen. Meinen Frust, meinen ganzen aufgestauten Hass und die große Traurigkeit, die sich in meinem Magen zu einem dicken Klumpen zusammengeballt hatten, herauszudreschen. Schlagen, quälen, wehtun, das tat mir gut. Wenn so ein Arschloch winselnd über den Boden kroch, dann fühlte ich mich besser. Prügeln, das hatte ich gelernt: als ich noch klein war von meinem unbeherrschten Stiefvater und später von den älteren Jungen im Heim. Man hat mich so lange verprügelt und geschlagen, bis ich groß und stark genug war, mich zu wehren.

In dieser Stimmung über meinem Bier brütend, fand mich Peter, ein Nachbarsjunge von früher. Aus der Zeit, als ich noch bei meinen »Eltern« wohnte.

»Ich weiß, was du brauchst«, meinte er, »ich treffe mich gleich mit ein paar Freunden zu einem Brettchenspiel. Komm doch mit!«

Von diesen Spielen hatte ich schon gehört: Man setzte sich an einen Tisch und rief irgendwelche Geister an. Wozu das gut sein sollte, war mir nicht klar. Aber vielleicht machte es mehr Spaß, als hier allein in der Disko herumzustehen. Also ging ich mit.

Während der Fahrt in Peters Auto merkte ich schnell, dass wir nicht zu ihm nach Hause fuhren, sondern Richtung Industriegebiet. »Lass dich überraschen«, beschwichtigte er mich. Am Waldrand vor dem Industriegebiet parkte er den Wagen.

Ausgerüstet mit Taschenlampen machten wir uns zu Fuß auf den Weg durch den Wald. Es war eine eiskalte, sternenklare Winternacht, die schmale Sichel des Mondes leuchtete nur schwach. Zunehmender Mond. Unter unseren Schritten knirschte der Schnee. Je weiter wir in den Wald hineinliefen, desto ungemütlicher fühlte ich mich in meiner Haut. Meine Fragen an Peter wurden drängender. Aber seine Antworten blieben geheimnisvoll: »Das wird dir Spaß machen. Du wolltest doch jemanden zusammenschlagen. Bei uns bist du genau richtig, glaub mir!«

Als wir aus dem Wald herauskamen, führte mich Peter weiter über Schotterwege und stillgelegte Bahngleise. Wir krochen sogar durch Rohre, bis wir endlich einen freien Platz erreichten. Wir waren plötzlich nicht mehr allein: Zehn bis fünfzehn Personen bemerkte ich, einige bildeten kleine Grüppchen. Hinter ihnen, im Dunklen, entdeckte ich eine lang gezogene, etwa drei Meter hohe Lagerhalle. Rechts davor, etwas verdeckt, loderte ein wärmendes Feuer. Das Wasser roch ich, noch bevor ich es hörte und sah: Ein kleiner Fluss plätscherte seitlich der Lagerhalle munter vor sich hin. Als wir uns der Versammlung näherten, fiel mir die ungewöhnliche Kleidung der Leute auf: Alle trugen schokoladenbraune, bodenlange Kutten, über ihre Köpfe waren Kapuzen gestülpt. Ihre seltsame Verkleidung erinnerte mich stark an Mönche. Aber Mönche? Hier doch nicht. Obwohl es schon spät war, kamen immer mehr Leute hinzu – viele auch in ganz normalen Klamotten. Gleich nach ihrer Ankunft verschwanden sie in der Lagerhalle. Draußen unterhielten sich einige Kuttenträger mit gedämpfter Stimme, andere liefen ruhelos auf und ab. Sie schienen auf etwas zu warten. Aber worauf? Peter zerrte an meinem Ärmel, er wollte mich jemandem vorstellen. Einem Vermummten. Der löste sich aus einer der Gruppen und kam auf uns zu.

Seine beigefarbene Kutte samt einem westenähnlichen, kastanienbraunen Überwurf schleifte leicht über den Boden, nur die Hände lugten unter dem wallenden Stoff hervor. Die riesige Kapuze verhüllte sein Gesicht, lediglich zwei schmale Sehschlitze erlaubten den Blick auf das Weiße seiner Augen. Ich fühlte mich zunehmend unwohl.

»Das ist Lukas«, stellte Peter mich vor, »wir sind zusammen aufgewachsen.« Für mich unverständlich, fügte er noch hinzu: »Der Meister hat ihn als Gleichgesinnten erkannt. Er wird ihm eine große Hilfe sein beim Aufbau seines Reiches.« Und die Stimme unter der Kapuze erwiderte: »Geboren wurde er als Christ. Verbinden wird er sich heute mit dem Jenseits.« – Jenseits? Was soll das? Was soll der Quatsch? Tausend Fragen und Gedanken schossen mir durch den Kopf: Was habe ich mit dem Jenseits zu tun? Jenseits, heißt das, die wollen mich umbringen? Der muss verrückt sein! Ich muss weg hier!

Der Blick des Vermummten bohrte sich in meine Augen. Konnte er meine Panik erkennen? Doch er drehte sich um und ging weg, und ich wandte mich Hilfe suchend an Peter. »Keine Angst, ganz ruhig bleiben und abwarten. Bleib hier stehen, ich komme gleich zurück«, flüsterte er.

Da stand ich nun. Fieberhaft überlegte ich, ob ich es wagen sollte, in den nahen Wald zurückzurennen. Abzuhauen. Eigentlich waren die Bedingungen gut, denn niemand schien mich zu beachten. Trotzdem fühlte ich mich irgendwie beobachtet. Verdammt! Ein einziger Schritt auf dem knirschenden, schneebedeckten Schotterboden und alles würde auffliegen. Die anderen würden sofort mitkriegen, dass ich türmen will. Also verwarf ich diesen Gedanken, blieb stehen und fühlte mich so verlassen wie noch nie in meinem Leben.

Als Peter zurückkam, trug auch er eine braune Kutte. Genau wie die anderen unheimlichen Gestalten, die sich nun vor dem Seiteneingang der Lagerhalle in einer Reihe hintereinander aufstellten. »Wie siehst du denn aus, bin ich hier bei einer Sekte gelandet, oder was ist hier los?«, wollte ich von Peter wissen. Seine Stimme klang fremd, als er antwortete: »Wirst schon sehen. Sei still jetzt!«

Hinter der letzten Kuttengestalt reihten wir uns ein. Die Pseudomönche vor uns trugen jeder ein Buch unter dem linken Arm und etwas Ähnliches wie eine Gebetskette in der rechten Hand: Daran hing ein Kreuz aus Knochen, das auf den Kopf gestellt war. Als die Riege so in die Halle pilgerte, stimmte sie ein gebetsähnliches Raunen an – jedenfalls wurden Worte in einer Sprache gemurmelt, die ich nicht verstand. Und ich hintendran in diesem merkwürdigen Zug, ahnungslos und als Einziger in Jeans, Bomberjacke und mit wild klopfendem Herzen.

Das Innere der Halle war in das flackernde Licht unzähliger Kerzen getaucht. Ein eindrucksvolles Bild, zugegeben, aber nur auf den ersten Blick: An die dreißig Kutten, im Kerzenschein, postierten sich im Halbkreis vor einem Tisch aus mächtigen Betonplatten. Wohl eine Art Altar, nahm ich an. Denn darüber hing ein großes Kreuz aus Knochen, kopfüber, mit dem oberen Ende nach unten. Genauso verkehrt herum wie die kleinen Kreuze an den Gebetskettchen.

Wir gingen um den Altar herum und schlossen einen Kreis. Ich riskierte einen vorsichtigen Blick auf die Gestalten, aber ich konnte nicht erkennen, ob sich unter den Kutten Männer oder Frauen verbargen. Plötzlich drängte mich Peter aus dem Kreis heraus vor den Altar.

Die Gegenstände, die auf der Tischplatte lagen, gefielen mir gar nicht: In der Mitte, auf einem Marmorsockel, stand ein goldener Kelch, geformt wie ein Totenkopf, dem die Schädeldecke fehlt. Daneben eine kleine goldene Schale und eine offene Weinflasche, gefüllt mit etwas Dunkelrotem, Dickflüssigem. Doch nicht etwa Blut? Links und rechts an den Seiten lagen – säuberlich aufgereiht – die verschiedensten Messer und Dolche. Und unter der wuchtigen Tischplatte waren vier schwere Eisenketten angebracht, an jeder Ecke eine. Die Ketten endeten in breiten, verstellbaren Fesseln, wie man sie eigentlich nur aus Horrorfilmen mit Folterszenen kennt.

»Hier kommst du nicht mehr lebend raus!« Meine Gedanken überschlugen und verhedderten sich, meine Hände wurden feucht. Unwillkürlich ballte ich sie in den Taschen meiner Bomberjacke zu Fäusten. Angstschweiß trat mir auf Stirn und Oberlippe. »Reiß dich zusammen, lass dir bloß nichts anmerken«, hämmerte ich mir ein. Gleichzeitig überlegte ich angestrengt, was ich Peter wohl getan haben könnte, dass er mir das hier einbrockte. Aber für Fragen war es zu spät.

Hinter dem Altar wurde eine Tür geöffnet, und vier große, kräftige Männer betraten den Raum. Sie waren in schwarze Kutten gehüllt und trugen ein weißes Zeichen auf dem Rücken. Obwohl auch ihre Gesichter durch Kapuzen verdeckt waren, schienen sie mir – allein durch ihre Haltung und Statur – besonders bedrohlich. Den vieren folgte der Mann in der beigebraunen Kutte. Es war der Priester, der mich draußen so geheimnisvoll begrüßt hatte.

Er trat an den Altar, die vier Hünen – wohl seine Leibwächter – bauten sich hinter ihm auf. Jetzt stand der Priester mir genau gegenüber, nur die Betonplatte trennte uns noch. Aber er beachtete mich nicht weiter. Ungläubig starrte ich auf die dunkelrote Flüssigkeit, die er behutsam, fast liebevoll, aus der Flasche in den Totenkopfkelch laufen ließ. Dann hob er den Kelch mit beiden Händen hoch über seinen Kopf und murmelte erneut dieses unverständliche Zeug, wieder in dieser fremden Sprache. Es erinnerte mich an lateinische Gebete in der Kirche. Die ersten Worte, die ich verstand, lauteten: »Eine Geburt Christi ist in unsere Kreise gekommen und wünscht das Bündnis mit dem Jenseits. Im Namen des Satans, seiner Exzellenz …«

Seine Worte verklangen wie in einem Nebel. Ich wollte es einfach nicht glauben. Satanisten also! Ich war umringt von Satanisten. Schöne Scheiße. Von wegen Brettchenspiel! Der kalte Schweiß war mir von der Stirn in die Augen getropft, er verschleierte mir die Sicht, brannte in den Augen. Und Schiss hatte ich, mächtigen Schiss. Ich traute mich nicht, die Schweißperlen mit dem Handrücken wegzuwischen. Die Haltung der Leibwächter war zu bedrohlich.

Plötzlich war er da, der Priester, direkt vor mir: »Die Geburt Christi muss gereinigt werden«, hörte ich ihn sprechen. Ich wollte zurückweichen, aber ich konnte mich nicht rühren. Eine unbekannte Kraft hielt mich fest. Er stand so dicht vor mir, dass sich unsere Körper fast berührten, durch die Sehschlitze hindurch bohrte sich sein Blick gnadenlos durch meine Augen bis in mein Gehirn, er schien meinen ganzen Kopf auszufüllen und jeden meiner Gedanken zu erraten. Mit den Worten »Dieses Blut soll dich reinigen« brachte er den Kelch an meine Lippen. Wut stieg in mir auf, ich spürte das unbändige Verlangen, ihm meine durch die Angst bestimmt noch kräftigere Rechte voll ins Gesicht zu dreschen. Stattdessen drehte ich nur mein Gesicht zur Seite. Wenn ich schon nicht schlagen konnte, wollte ich wenigstens passiven Widerstand leisten. So gut es eben ging. Auf gar keinem Fall wollte ich aus diesem Totenkopf trinken, besonders, weil mir inzwischen klar war, dass es sich bei dieser dunkelroten Flüssigkeit nicht um Rotwein handelte.

Aber ich hatte keine Chance. Zwei seiner vier Leibwächter kamen ihm zu Hilfe. Sie hielten mich fest, einer packte mich im Genick, so kräftig, dass ich glaubte, er würde es mir brechen. Ich musste trinken.

Es war Blut. Den ersten Schluck würgte ich vor Ekel fast wieder heraus. Widerwillig trank ich den zweiten, er blieb in meinem Magen. Den Rest schluckte ich freiwillig. Ich hatte keine Angst mehr, der Ekel war verflogen, ich schmeckte nur noch Wasser.

»Er ist gereinigt, im Christentum ist er nicht mehr willkommen«, tönte der Priester, »ab sofort sollst du Satan, Luzifer, unserem Herrn, dienen.« Er drehte sich um und nahm nun die kleine, goldene, mit Blut gefüllte Schale vom Altar. Er tauchte seinen Daumen hinein, brummte beschwörende Phrasen und befahl mir schließlich, niederzuknien. Ich fügte mich, ich hatte verstanden. Widerstand war zwecklos. Mir war klar geworden, dass ich diese Nacht nur durch Vortäuschen meines Einverständnisses überleben würde. Dies war keine Gruppe leicht okkultistisch angehauchter Jugendlicher. Dies waren Erwachsene. Verwirrt, fanatisch und gefährlich. Weiter beschwörerische Formeln vor sich hin sprechend, malte mir der Priester mit seinem blutigen Daumen das umgedrehte Kreuz auf die Stirn, auf beide Schläfen, auf die Nase, das Kinn und auf meinen Kehlkopf. Dann war ich endlich erlöst. Ich durfte mich in die anonyme Masse der »Gläubigen« zurückziehen.

Wie in Trance erlebte ich die nächsten Stunden. Diese »Messe« zog sich schier endlos hin. Der Priester hielt Monologe auf Latein, Satan wurde ein ums andere Mal beschworen. Die Gemeinde betete, kniete nieder, betete und kniete erneut. Eine Ewigkeit mussten wir auf dem kalten Steinboden ausharren. Ich machte alles mit. Nur nicht auffallen. Mir war alles egal. Ich hatte jedes Zeitgefühl verloren, meine Knie und meine Beine spürte ich kaum noch. Aber ein eigentümlicher Rausch hatte meinen Körper ergriffen, ich fühlte mich leicht und schwer zugleich. Die Worte des Priesters und die leisen Gebete der anderen hallten merkwürdig in meinem Kopf wider.

Eine Geräuschkulisse wie bei einem Hochamt in einer Kathedrale. Ich sah zur Decke, nur um mich zu vergewissern, dass ich nicht doch in einer Kirche mit hohem Gewölbe saß. Aber da war nur die flache Hallendecke.

Schwindelanfälle verwirrten meine Sinne, mir wurde übel. Hatten sie mich mit Drogen voll gepumpt? Wollten sie mich süchtig machen? Langsam kroch die Angst wieder in mir hoch. Krank fühlte ich mich, elend und zerschlagen, kalte Schauer liefen mir über den Rücken, ich zitterte. Vor Angst? Vor Kälte? Ich weiß es nicht mehr. Diese unglückselige Veranstaltung wollte und wollte nicht enden. Teilnahmslos registrierte ich, wie der Priester den Totenkopfkelch wieder voll goss. Das Gefäß wanderte durch die Reihen, von Hand zu Hand. Jeder der Anwesenden hob es kurz an die Lippen und nippte. Dabei schwoll die Stimme des Priesters an, seine nächsten Worte verstand ich wieder: »Die Opferung ist nah!« Nach allem, was ich erlebt hatte, blieb mir nur ein Gedanke: Jetzt bin ich dran! Doch dann drang das verzweifelte Blöken eines Schafes an mein Ohr. Sein Schreien ging mir durch Mark und Bein. Einer der Kuttenträger schleifte das sich sträubende Tier durch die Tür hin zum Altar. Mitleid überkam mich, aber gleichzeitig war ich schrecklich erleichtert: Denn jetzt konnte ich mir ziemlich sicher sein, dass sie nicht mich als Opfer auserkoren hatten.

Die vier schwarz vermummten Muskelprotze hoben das Schaf auf den Altar und befestigten die Eisenfesseln an seinen Beinen. Mit einem Gewinde zogen sie die Ketten straff, bis sich das Tier nicht mehr rühren konnte. Sein angstvolles Blöken peitschte durch die kahle Halle, es klang wie der Schrei eines Menschen in Not.

Ich mochte Tiere. Ab und an redete ich mit ihnen. Sie hören zu und scheinen alles zu verstehen. Von türkischen Freunden wusste ich, dass Schafe besonders sensibel sind. Dieses Opferlamm auf dem Altar schien genau zu wissen, dass sein letztes Stündchen geschlagen hatte. Nur wie grausam es gleich sterben sollte, war weder ihm noch mir klar.

Ich konnte seine Schreie nicht mehr ertragen, aber den Mut, mir die Ohren zuzuhalten, hatte ich auch nicht. Und dann war da wieder diese unheimliche Kraft, ein Trieb, der mich zwang, stillzustehen und etwas zu beobachten, wogegen mein Verstand sich mit aller Macht wehrte.

Der Priester griff eines der bereitliegenden Messer und präsentierte es seinen gebannt nach vorne starrenden Anhängern. Die sichelförmige Klinge blitzte im Schein der zahllosen Kerzen, der Griff zeichnete die Form eines umgedrehten Kreuzes nach. Ein außergewöhnlich schöner Dolch für ein besonders hässliches Ritual.

Monoton hallte die Stimme des Priesters durch den Raum: »Das Opfer ist da. Nun lasst uns hochpreisen. Wir preisen Satan, wir preisen Luzifer, auf dass er zu uns kommen kann …« Während er weitersprach, beugte er sich vor und schlitzte dem blökenden Tier die Bauchdecke auf. Eine neue Welle der Übelkeit und Kälte stieg in mir hoch, als ich die Hände des Priesters in der klaffenden Wunde verschwinden sah.

Wo bin ich hier bloß gelandet, fragte ich mich fassungslos, aber ich starrte weiter nach vorne. Nun zog der Priester einen roten, fleischigen Klumpen aus dem Bauch des Tieres – sein Herz. Mit weit ausgestreckten, blutverschmierten Armen hielt er es hoch. Seine dunkle Stimme forderte jetzt energisch: »Preiset Satan!«

Er drehte sich zu seinen vier Hünen um und schien ihnen das Herz anzubieten. Aber wozu? Es war unfassbar: Jeder von ihnen biss ein Stück ab, kaute und schluckte. Ich bekam meine nächste Panikattacke. Würden sie das etwa auch von mir verlangen? Könnte ich mich dazu überwinden ohne umzukippen? Aber ich hatte Glück. Denn nun wollte der Priester selbst seinen Anteil: Er schob seine Kapuze gerade so hoch, wie es nötig war, um seinen Mund freizulegen, und aß den Rest des rohen Tierherzens. Er kaute langsam und genießerisch. Ich fragte mich, wie viel mehr ich noch ertragen können und müssen würde.

Natürlich hätte ich meine Augen zumachen oder auf den Boden richten können, aber dann hätte mich die nächste Attacke des Priesters, auf die ich ständig gefasst war, völlig unvorbereitet treffen können. Dieser Gedanke war abschreckender als alles andere.

Und noch einmal kam der Dolch zum Einsatz: für einen Stich in die Halsschlagader des Opferlammes. Das herausschießende Blut wurde im Totenkopfkelch aufgefangen. Frisches, warmes Tierblut. Mir war kotzübel. Diesmal hatten die gesichterlosen Kuttenträger die Ehre, den Kelch zu leeren. Danach gab es eine weitere Lektion, Belehrung oder Danksagung auf Latein.

Meine Augen brannten, ob vor Müdigkeit oder wegen der vielen nicht geweinten Tränen – ich wusste es nicht. Ich wollte nur noch raus aus dieser Hölle, weg von diesen Unmenschen. Bis zu dieser Nacht war ich der Überzeugung gewesen, mich könnte nichts mehr erschüttern, nichts mehr kleinkriegen. In Sachen Gewalt könnte mir niemand mehr etwas vormachen. Für stark hielt ich mich, für gefühllos und abgebrüht. Ich hatte geglaubt, ich könnte gut allein zurechtkommen, und verlachte meine Mitschüler dafür, dass sie mit lächerlichen Problemen noch zu ihren Müttern liefen. Diese Nacht hatte mich eines Besseren belehrt.

Denn als der Priester endlich seine makabre Vorstellung beendet hatte und bekannt gab, wann und wo die nächste Versammlung stattfinden würde, da wünschte ich mir nichts sehnlicher als eine Mutter. Eine Mutter zu haben, in deren schützende, beruhigende und sichere Arme ich mich jetzt flüchten könnte.

Aber draußen wartete nur Peter auf mich. Dieser Wahnsinnige, dem ich diesen Albtraum zu verdanken hatte. Die Halle hatte sich inzwischen fast geleert, ich war fassungslos in mich zusammengesunken. Saß zusammengekauert, die Arme fest um meine Knie geschlungen, mitten auf dem kalten Steinboden und starrte geistesabwesend vor mich hin. Erneut überkam mich der Ekel, ich rappelte mich auf und hetzte nach draußen, um mir endlich den Finger in den Hals zu stecken. Ich erhoffte mir dadurch Erleichterung, wenn auch nur körperlicher Natur.

Aber daraus wurde nichts. »Warte einen Moment«, hörte ich hinter mir die für mich inzwischen äußerst unangenehme Stimme des Priesters. Der kam mir wie gerufen. Ich hatte diese Nacht überlebt, und ich merkte, dass ich plötzlich nur noch wütend war, so wütend wie noch nie in meinem jungen Leben. Ich rastete völlig aus. »Was glaubst du eigentlich, wer du bist, du Schwein, du widerlicher, feiger Killer. Glaub bloß nicht, dass du mir Angst einjagen kannst. Eure widerwärtigen Spielchen könnt ihr in Zukunft ohne mich austragen, und du kannst froh sein, wenn ich dir nicht die Bullen auf den Hals hetze. Ist das klar? Ich will nichts mit euch zu tun haben. Und den Peter, den kaufe ich mir auch noch.«

Der Kapuzenkopf blieb ganz ruhig. Seine eisigen Fischaugen blitzen, als er mich aufforderte, ihm die Hand zu geben. Sein Befehlston überrumpelte mich. Ich streckte sie ihm hin. Zum Abschied, wie ich annahm. »Knack« machte es. Ich schrie auf, der Schmerz trieb mir Tränen in die Augen. Er hatte mir den Mittelfinger gebrochen. Er brachte seine Sehschlitze ganz nah an mein Gesicht und flüsterte: »Wenn du nächstes Mal nicht wiederkommst, dann werden wir dich holen. Wir werden auch deine Freunde kriegen, und du darfst dann zusehen, wie wir sie töten. Und wenn sie alle tot sind, dann bist *du* dran.« Mit diesen Worten verschwand er in der Dunkelheit.

Da stand ich nun, wie ein begossener Pudel, mein Finger pochte, der Schmerz zog langsam den ganzen Arm hoch. Tränen der Wut und Verzweiflung schossen mir aus den Augen, ich war ein Häufchen Elend. So fand mich Peter. Es sollte wohl tröstlich klingen, als er meinte: »Das ist dein Schicksal, Lukas. Nimm es an und lebe damit.« Mir fehlte die Kraft, ihm darauf zu antworten. Ich konnte und wollte nicht mehr denken. Ich wollte nicht mehr diskutieren, ich wollte ihm jetzt auch keine Vorwürfe machen. Ich wollte nur noch zu meiner Schwester und von dort aus ins Krankenhaus. Und Peter wollte ich so schnell wie möglich loswerden. Ihn nie mehr wieder sehen.

Leider sollte mir das nicht gelingen.

2

Die darauf folgende Woche verbrachte ich wie in
Trance. Mechanisch verrichtete ich meine alltägli-
chen Pflichten, schleppte mich durch das Malerpraktikum, das mir von der Schule aufs Auge gedrückt
worden war. Eigentlich hatte mir das Arbeiten bis
dahin mehr Spaß gemacht als das Lernen, doch nach
dieser Messe war bei mir die Luft raus. Das Geplap-
per der Freunde, Arbeitskollegen und Erzieher prallte an mir ab, ihre Stimmen drangen undeutlich, wie
von Watte gedämpft, zu mir durch. Meine Umwelt
nahm ich nur noch verschwommen wahr, wie durch
einen Schleier. Ich schlief wenig, denn sobald ich die
Augen schloss, kamen die Bilder: das Schaf, die Kutten, die Augen des Priesters und Blut, Blut, überall
Blut.

Meinen gebrochenen Finger erklärte ich mit einer
erfundenen Geschichte: Ich sei nachts auf einem eisigen Gehweg ausgerutscht und gefallen. Jedem, der
es unbedingt wissen wollte, verpasste ich diese Geschichte, auch im Krankenhaus erzählte ich diese
Story. Ich hatte nicht den Mut, mich jemandem an-
zuvertrauen. Und solchen Schiss vor dem nächsten
Wochenende in meinem Heimatort. Ich wollte nicht
nochmal in so ein Sektendebakel hineinschliddern.
Also sagte ich der Heimleitung, dass ich am kom-

menden Wochenende nicht nach Hause wolle. Verstanden haben sie das nicht. Denn »nach Hause fahren« bedeutete für die meisten von uns, achtundvierzig Stunden uneingeschränkt unsere Freiheiten genießen. Im Heim sprach man zwar nicht darüber, aber es war ein offenes Geheimnis: Kaum einer von uns fuhr Samstag und Sonntag wirklich zu seinen Eltern. Aus verständlichen Gründen. Denn keiner von uns verstand sich gut mit ihnen – sonst wären wir ja auch nicht in einem Heim für sozialgeschädigte Jugendliche untergebracht gewesen. Wir waren eben keine Engel. Die zu Recht misstrauischen Nachfragen der Erzieher waren mir lästig. Es blieb mir nichts anderes übrig, als sie mit dummen Sprüchen abzublocken: »Was soll ich denn zu Hause? Ich kann mich hier genauso gut langweilen und ein paar Leute verkloppen.«

Die Woche verging viel zu schnell. Es war Freitagnachmittag geworden. Ich lag auf meinem Bett in meinem Zimmer und hörte »Rhythm of Reasons« von Pink Floyd, meine Entspannungsmusik. Das Telefon klingelte, Peter war dran: »Du kommst doch? Ich hole dich morgen um zehn Uhr abends bei deiner Schwester ab.« Mir wurde eiskalt, und mein Magen krampfte sich zusammen. »Woher hast du meine Nummer? Woher weißt du, dass ich in dieser Stadt lebe?«, stotterte ich. »Wir wissen alles von dir«, antwortete Peter ganz ruhig, »wir wissen, wo du wohnst, wer deine Freunde sind, wo du gerade Praktikum machst und wer dein Meister ist.« Damit legte er auf. Ich wurde völlig panisch, zitterte am ganzen Körper. Kopflos lief ich durch das ganze Haus,

von einem Zimmer ins andere, in den Aufenthalts-
raum – reden wollte ich nicht, aber ich brauchte Leute um mich herum, ich brauchte das verdammte Gefühl von Sicherheit. In meinem Kopf hämmerte nur
ein Gedanke: »Was soll ich jetzt bloß tun?«

Als drei Stunden später meine Freundin Sandra bei
mir auftauchte, lag ich wieder auf dem Bett und
starrte an die Decke. Sandra sah, dass es mir nicht
gut ging. Sie kam in meine Arme, und während ich
mein Gesicht in ihrem langen, dunklen Haar vergrub, kam mir die Drohung des Priesters wieder in
den Sinn: »Wenn du nicht wiederkommst, töten wir
zuerst deine Freunde …!« Verdammte Scheiße! Es
war alles so vertrackt. Ich wollte da nicht wieder hin,
ich wollte nicht! Aber wenn diese widerlichen Typen
Ernst machten? Wenn sie Sandra oder irgendeinem
anderen Freund etwas antun würden … Ich empfand fürchterliche Angst und wilde Abscheu, aber
ich konnte nicht verantworten, dass Sandra etwas
passierte. Und ich wäre auch noch schuld daran gewesen! Grauenvoll! Minutenlang fühlte ich mich bis
zum Unerträglichen hin und her gerissen. Dann
siegten die Sorgen, die ich mir um Sandra machte. In
diesem Moment wusste ich, dass ich wieder zur
Messe gehen musste.

Ich fuhr zu meiner Schwester Sylvia, bei der ich alle
meine freien Wochenenden verbrachte. Während
meiner Kindheit schon war sie für mich die wichtigste Person gewesen. Sie stand mir am nächsten. Mit
siebzehn war sie von zu Hause ausgezogen, so früh,

wie sie es sich eben leisten konnte. Damals fühlte ich mich von ihr im Stich gelassen, inzwischen verstand ich ihre Beweggründe nur zu gut und war froh, bei ihr eine Wochenendbleibe gefunden zu haben. Sylvia ließ mir meinen Freiraum, ich konnte kommen und gehen, wann und wie ich wollte. Trotzdem war sie immer da, wenn ich sie brauchte.

Natürlich bemerkte auch sie meine Veränderung: Ich hörte nicht zu, war verstört, still und in mich gekehrt. Wie gerne hätte ich ihr mein Herz ausgeschüttet, aber schließlich hätte auch sie mir nicht aus dieser ausweglosen Situation heraushelfen können. Außerdem fühlte ich mich seit Peters Anruf ständig beobachtet. Wer weiß, vielleicht gab es sogar ein Abhörgerät in Sylvias Wohnung … Diesen Freitagabend und den ganzen nächsten Tag über traute ich mich nicht aus dem Haus, bedröhnte mich mit Musik, lungerte missmutig und wortkarg herum. Doch Samstagabend gegen zehn überwand ich meinen inneren Widerstand und verließ Sylvias Wohnung.

Peter wartete schon auf mich, lässig an sein Auto gelehnt. Wie er so dastand, hätte ihm zwar jeder den gesundheitsfanatischen Bodybuilder abgekauft, nicht aber sein unheimliches, dämonisches Doppelleben. Denn Peter war nett. Ein lieber, freundlicher Kerl. Deshalb hatte er auch großen Erfolg bei den Frauen, und für eine ganze Reihe von Männern war er ein wirklich guter Kumpel. Peter hatte immer ein paar Leute um sich geschart. Auch ich hatte mich geschmeichelt gefühlt, dass dieser sympathische Typ sich überhaupt mit mir abgab. Immerhin war er auch noch ein paar Jährchen älter. »Wie man sich in Menschen doch täuschen kann«, dachte ich. Seit dem letzten Samstag war er für mich das übelste Charakterschwein, das mir je begegnet war. Schlimm genug, dass er in dieser Sekte mitmischte, aber dann auch noch Freunde da mit reinziehen? Im Auto wollte ich ihn zur Rede stellen, ihm so richtig die Meinung sagen, aber er ließ mich abblitzen. Jedes Mal, wenn ich zum Reden ansetzte, drehte er seine Heavymetal-Musik im Autoradio auf volle Pulle. Abserviert.

Wieder saß ich mit ihm in diesem Wagen. Wieder fuhren wir zu diesem verlassenen Industriegelände und stolperten zu Fuß weiter durch das dunkle Wäldchen. Wortlos, und ich in schreckliche Vorahnungen versunken. Dann plötzlich ein gellender Schrei. Er ging mir durch Mark und Bein, und ich hatte das Gefühl, mir stünden sämtliche Haare zu Berge. Ich wollte auf dem Absatz kehrtmachen. Aber Peter hielt mich am Arm fest und zerrte mich weiter. »Was war das?«, flüsterte ich. »Kümmere dich nicht darum, da wird einer getestet, ob er auch was aushalten kann. Du kommst auch noch dran. Aber hab dich mal nicht so: Die Schläge landen gezielt, draufgehen wirst du dabei nicht.« – »Und du willst mein Freund sein?«, keuchte ich, während ich vergeblich versuchte, mich aus seinem harten Griff zu befreien, »wir waren Nachbarskinder, Jugendfreunde, und jetzt lässt du mich zusammenschlagen?« – »He, he, halb so schlimm. Es dauert höchstens zwei Stunden, dann gehörst du zu uns. Und das wird dir dann schon gefallen!«

Inzwischen hatte mich Peter bis zu dem Sammel-platz der Meute weitergeschleift, und für mich gab es mal wieder kein Zurück mehr. Vor den anderen Figuren wollte und durfte ich mir keine Blöße erlau-ben, also trottete ich, äußerlich gelassen, weiter hin-ter Peter her. Wir erreichten das Holzfeuer neben der Halle. Im Schein der Flammen fiel mein Blick auf einen leblosen Haufen aus Kleidungsfetzen und Gliedmaßen. Ich brauchte lange Sekunden, um zu erkennen: Am Boden lag ein Junge, etwa in meinem Alter. Gründlich zusammengeschlagen. Aus den Öff-nungen seines verschwollenen Gesichts quoll Blut. So viel, dass die Konturen nicht mehr zu sehen wa-ren. Kein Wimmern, nichts. Peter fand das toll, ich musste mich wegdrehen.

Und nun sah ich, wie die beigebraune Gestalt des Priester schnurstracks auf mich zusteuerte. Es war ein Frohlocken in seiner Stimme, als er lautstark ver-kündete: »Höret, meine Jünger, hier präsentiere ich euch einen neuen Einsteiger. Lasset uns ihn will-kommen heißen!«

Bevor ich wusste, wie mir geschah, wurden mir Anorak, Pullover und Hemd vom Leib gerissen. In der klirrenden Kälte dieser Winternacht schleppten mich ein paar Figuren hinter die Halle und ketteten mich dort mit nacktem Oberkörper an einem Eisen-gitterzaun fest. Der Priester rief: »Herr und Meister, lass ihn den Schmerz akzeptieren, gib ihm Kraft, die-ses, dein Geschenk ohne Wehklagen anzunehmen und sich so als dein wahrer Diener zu erweisen.«

Noch während er sprach, begannen sie, auf mich einzudreschen. Nach dem ersten Schlag auf die Nase erspähte ich noch verschwommen, dass sich inzwischen an die zwanzig Gestalten vor mir aufgereiht hatten. Der nächste Kapuzenkopf nahm Anlauf und trat mir in den Magen. Ich sackte zusammen. Ein Hagel von Hieben und Tritten prasselte auf mich nieder. Mein Körper, mein Kopf und meine Beine fühlten sich schnell an wie Brei. Ich hing an dem Gitter, nur die Ketten an meinen Armgelenken hielten mich noch aufrecht. Dann wieder ein mächtiger Schwinger auf die Nase. Mein Kopf wurde hochgerissen. Undeutlich erkannte ich die Umrisse eines dicken Knüppels. Mit voller Wucht sauste er auf meine Oberschenkel nieder ...

Drei Runden dieser Tortur musste ich über mich ergehen lassen. Im Nachhinein gezählt, steckte ich an die sechzig harte Schläge ein. Irgendwann muss ich wohl bewusstlos geworden sein. Lange drangen Stöhnen, Schreie und Wimmern an mein Ohr, sehr lange, ehe ich begriff, dass ich es war, der diese erbärmlichen Laute von sich gab. Als ich wieder zu mir kam, lag ich auf einer Decke neben dem Feuer. Genau da, wo ich bei meiner Ankunft dieses andere Häufchen Elend hatte liegen sehen. Aber ich war allein.

Jede kleinste Bewegung löste unvorstellbare Schmerzen aus. Mir blieb also nichts anderes übrig, als reglos liegen zu bleiben und in den Nachthimmel zu starren, dessen Sterne ich nur als verschwommene Lichtpunkte ausmachen konnte. An mein Ohr drang das beruhigende Geplätscher des nahen Flusses. In diesem Moment war mir alles vollkommen egal. Ich hatte es überstanden und war der Überzeugung: Schlimmer kann es nicht mehr kommen. Doch ich sollte mich ein weiteres Mal getäuscht haben!

Plötzlich beugte sich ein Vermummter zu mir herunter. Er nahm meinen Kopf hoch und flößte mir etwas von diesem Blutgemisch ein, das mir noch von der ersten Messe in unangenehmer Erinnerung war. Mir wurde speiübel, und ich übergab mich so heftig, dass ich dachte, ich würde meinen Magen samt Lunge auskotzen. »Trink weiter«, war die einzige Reaktion des Jüngers. Ich musste, denn wehren konnte ich mich nicht, die Schmerzen hielten meinen Körper in Schach. Heute bin ich sicher, dass dieser undefinierbare Trank mit Drogen angereichert war, denn schon kurze Zeit später fühlte ich mich dermaßen schwindelig, dass ich alles doppelt sah. Aber der pochende Schmerz, der mich bewegungsunfähig gemacht hatte, ließ nach.

Irgendwann – mein Zeitgefühl war mir total abhanden gekommen – stand der Priester über mir. Sein zynischer Blick schweifte über mein geschwollenes Gesicht. Wohl wollend musterte er meinen immer noch nackten, zerschundenen Oberkörper. »Satan hat dich als seinen neuen Sohn gezeugt«, meinte er selbstzufrieden und versetzte mir zur Bekräftigung einen weiteren Tritt zwischen meine schmerzenden Rippen. Mir fiel nicht mehr ein, als ihn durch meine aufgeplatzten Lippen hindurch unverschämt anzugrinsen. Seltsamerweise schien ich ihm dadurch sympathisch zu werden. Trotzdem war es schnell vorbei mit meiner Erholung. Der Priester schnippte mit den Fingern, und schon tauchten seine vier Leibwächter auf, packten mich an den Armen und schleiften mich davon.

»Was denn jetzt noch?«, fragte ich mich, ergab mich jedoch willenlos meinem Schicksal. Unsanft warfen sie mich zwischen den Bahngleisen zu Boden. »Gleise?« Innerlich schrie ich auf, aber kein Laut entwich meinem Mund. Der Priester war uns gefolgt, und während mich seine Handlanger mit Armen und Beinen an die Schienen ketteten, erklärte er mir: »Dies ist der letzte Teil deiner Prüfung: Um als wahrer Sohn vor deinen neuen Herrscher treten zu können, musst du sterben. Wir alle, die wir seine Diener sind, sind tot – überfahren worden vom gleichen Zug, den uns Satan, unser Herr, zur Verfügung gestellt hat. Wir sehen uns wieder in der neuen Welt, in die du jetzt gehen darfst.« Sprach's und verschwand.

Es dauerte nicht lange, da meinte ich, das Rattern und Dröhnen eines Güterzuges in der Ferne zu hören. Die Schienen rechts und links von mir fingen an zu summen und zu vibrieren. Tatsächlich, ein Zug! Das dumpfe Stampfen der Maschine kam näher und näher. Starr vor Entsetzen lag ich da, horchte hilflos auf das anschwellende Donnern des eisernen Ungetüms, das mich ins Jenseits befördern würde. Seltsamerweise hatte ich keine Angst, aber ich war wütend, ich schäumte geradezu vor Wut. Die verrücktesten Gedanken jagten durch meinen Kopf. Hasserfüllt malte ich mir aus, wie man diese widerliche Satansbrut vernichten könnte: Eine Atombombe müsste man auf sie werfen; zerhacken, zerstückeln und zertreten würde ich jeden Einzelnen von ihnen, falls ich sie je wieder sehen sollte. In den letzten Sekunden, bevor der Zug mich überrollte, dachte ich an Sandra.

Feine Nadelstiche holten mich zurück in diese Welt. Vorsichtig hob ich den Kopf und sah an mir herunter: Ich lag auf dem Altar, splitternackt und angekettet. Ein Jünger tätowierte mir ein Pentagramm mit drei Sechsen in den linken Oberarm. Mein Körper war von mystischen Zeichen übersät. Sie waren mit Blut auf meine Haut gemalt worden. Auf die Wunden und Schrammen und überall da, wo sich inzwischen Schwellungen und Blutergüsse gebildet hatten. Ein schauerliches Kunstwerk. Der Priester stand hinter meinem Kopf, hielt die Innenseiten seiner Hände flach über mein Gesicht und betete. Ich versuchte mich umzusehen, aber seine Hände senkten sich tiefer, bis sie fast meine Nasenspitze berührten, gerade so, als wolle er meinen Kopf zurückdrücken. Wehrlos gab ich der unsichtbaren Kraft seiner Hände nach. Ließ mich von den eintönig gemurmelten Phrasen der Sektengemeinde und der seltsam ziehenden und zerrenden Musik um mich herum beruhigen. Zu laut schrillte die Stimme des Priesters, als er anhob: »Du bist jetzt ein Sohn Satans, ein Teil von ihm, unserem Herrn und Meister. Du wirst leben und fühlen wie Satan, herrschen wie Satan, und du bist für würdig befunden, mit uns seine neue Weltmacht vorzubereiten und aufzubauen.«

Verwirrt, zerschlagen und am Ende meiner Kräfte wurde ich danach in den Nebenraum entlassen. Zwei der vier Leibwächter des Priesters stützten mich bei meinem kläglichen Abgang. Das war auch gut so, denn jede auch noch so kleine Bewegung schickte Schmerzensblitze in alle erdenklichen Regionen meines Körpers. Schon bei dem kleinen Rutsch vom Altar zum Fußboden raubte mir der Schmerz fast die Besinnung. Sie halfen mir sogar beim Anziehen. Allein hätte ich es bestimmt nicht geschafft. Außerdem achteten sie darauf, dass ich die magischen Blutzeichen auf meinem Körper nicht entfernte.

Erst jetzt wurde mir langsam bewusst, dass ich noch lebte, dass mich der Zug wohl doch nicht überrollt hatte. Ich nahm es kopfschüttelnd zur Kenntnis und war nun vollends überzeugt, dass diese Leute, an die ich hier geraten war, nicht ganz richtig im Kopf sein konnten. Auf dem Heimweg erklärte mir Peter, dass diese Zuggeschichte mit Hilfe einiger Tricks und eines Kassettenrecorders inszeniert wird. »Reiner Psychoterror, aber sehr wirkungsvoll, um die Belastbarkeit der Einsteiger zu testen«, bemerkte er lakonisch, »aber du warst doch gut drauf, hast alles ohne Ausrasten weggesteckt. Ich wusste doch, dass du gut zu uns passen wirst.« Ich gab ihm keine Antwort. Schließlich war es wichtiger, für meine Schwester eine plausible Erklärung für mein Aussehen zu erfinden.

Sylvia war noch wach, als ich gegen sechs Uhr morgens in die Wohnung taumelte. Mit meinen abweisenden Handbewegungen gab sie sich natürlich nicht zufrieden, also nuschelte ich etwas von Fußballspiel im Stadion und anschließender Schlägerei mit einigen Hooligans. Sie war ziemlich sauer auf mich, bestand aber darauf, mich sofort ins Krankenhaus zu fahren. Ich konnte mir im Badezimmer gerade noch die Blutzeichen vom Körper waschen. Eigentlich wollte ich nur ins Bett, im Nachhinein muss ich aber eingestehen, dass sie Recht hatte. Mein rechtes Handgelenk war zersplittert, meine Kinnlade angeknackst, die Nase war lädiert und einige Rippen angebrochen. Nachdem mich der Dienst habende Arzt untersucht hatte, stellte er kopfschüttelnd fest, dass er zwar schon einige Hooligan-Opfer behandelt hätte, aber jemand, der so zugerichtet worden war, sei ihm noch nie untergekommen.

3

Bis heute kann ich nicht mit Sicherheit sagen, was damals in mir vorging. War es der Einfluss der Sekte oder meine wochenlang schmerzenden Knochen, die mich so aufsässig und aggressiv machten? Im Heim hagelte es Strafdienste: Küche aufräumen, putzen, Ausgangssperre, Fernsehverbot und Taschengeldentzug. Je mehr ich bestraft wurde, desto unflätiger maulte und pöbelte ich die Erzieher an. Erst als man mir mit Wochenendarrest drohte, zügelte ich meinen unerklärlichen Hass und Zorn. Eine Züchtigung des Satanspriesters wegen Nichterscheinen zu einer Messe wollte ich nicht riskieren.

Peter entpuppte sich in dieser Zeit als mein Lehrbeauftragter. Von den zirka fünfzig Personen, aus denen der harte Kern unserer Gruppe bestand, war er der Einzige, den ich auch unmaskiert und außerhalb der offiziellen Treffen zu Gesicht bekam. Von ihm lernte ich die Grundregeln des Satanismus:

Satan ist die Personifizierung des Bösen. Das auf dem Kopf stehende Kreuz, das Symbol der Satanisten, signalisiert die vollständige Umkehrung sämtlicher Wertvorstellungen der christlichen Welt. So heißt es bei den Satanisten beispielsweise:

Empfinde Hass statt Liebe, tue Böses anstatt Gutes!

Tod den Schwachen (Christen), Ruhm den Starken (Satanisten)!
Lebe, handle und fühle wie Satan! Uneingeschränkte Macht über andere wird dein Lohn sein.

Auch die Sektenhierarchie erklärte mir Peter: Jede Gruppe besteht aus einem inneren und einem äußeren Kreis. Der äußere Kreis, auch Meute genannt, setzt sich aus Einsteigern, Abtrünnigen, Frauen und Mitläufern zusammen. Sollte es wirklich Leute geben, die sich freiwillig den Satanisten anschlossen? Für diese Zwischenfrage erntete ich einen argwöhnischen Blick von Peter, bekam aber keine Antwort. Der Priester, so lernte ich weiter, ist das Oberhaupt des inneren und äußeren Kreises. Seine Befehle und Anweisungen müssen befolgt werden. Schon die leiseste Andeutung von Unwillen oder Ungehorsam wird schwer bestraft.

Die Jünger bilden den inneren Kreis. Sie werden vom Priester aufgrund besonderer Leistungen aus der Meute auserwählt. Eine solche Auszeichnung erwirbt man sich zum Beispiel durch Denunziation oder Aufspüren eines Abtrünnigen, oder man fällt wegen seiner Brutalität und Gefühllosigkeit auf, wie es bei mir der Fall war. Rein äußerlich unterscheiden sich die Jünger durch ihre Kuttentracht von der Meute. Viel wichtiger jedoch ist: Die Jünger sind Priesteranwärter, sie müssen durch das Ablegen von sechs Prüfungen ihre satanischen Fähigkeiten unter Beweis stellen.

Die vier Hünen, die ich bisher für Leibwächter des Priesters gehalten hatte, nannten sich Schergen,

Dämonen des Herrn oder Häscher. Sie hatten eine Sonderstellung im inneren Kreis. Bei den Messen waren sie die Handlanger des Priesters, ihre Hauptaufgabe bestand jedoch darin, Gruppenmitglieder im Alltag zu bespitzeln und Abtrünnige zu jagen. Sie in die Gemeinschaft zurückzuholen, oder, falls dies nicht möglich war, sie zu töten. »Das sind gefährliche Kampfmaschinen, eiskalt und gnadenlos. Bis jetzt haben sie noch jeden Aussteiger wiedergebracht«, warnte mich Peter.

Mehr dürfe er mir im Augenblick nicht sagen. Nur einen Rat gab er mir noch mit auf den Weg: »Denke nie über die Befehle nach, die du ausführen musst, denn es wird dir nicht helfen. Deine Achtung und deinen Gehorsam gegenüber Satan musst du immer wieder beweisen. Gefühle kannst du dir dabei nicht leisten. Mehr noch: Sie sind verboten!«

Von nun an gehörten meine Wochenenden Satan. Er war mein Schicksal. Ich konnte nichts dagegen tun. Wenigstens wurde nicht bei jeder Zusammenkunft eine schwarze Messe abgehalten. Manchmal gab es so genannte Lehrveranstaltungen, Vorträge über die Lebensphilosophie der Satanisten, Schilderungen der glorreichen Zukunft, die auf uns wartete, sobald Satan und seine Lehre die Welt erobert haben würden. Dann würden wir all das unser Eigen nennen können, wofür wir heute noch schwer arbeiteten. Auch Dinge, die für uns unerreichbar waren, weltliche Güter wie ein Haus, ein tolles Auto etwa, würden wir uns dann einfach nehmen können. Schließlich wären wir dann die Herrscher und die wenigen, noch übrig gebliebenen Ungläubigen unsere Sklaven. Das Vergewaltigen, Foltern und Töten von Christen wurde uns bis ins Detail beschrieben und hoch gelobt. »Schwängert ein Satanist eine Christin, muss er ihr Kind töten, denn es kommt mit einer toten Seele zur Welt. Am besten bringt man die Mutter gleich mit um«, bekamen wir beispielsweise zu hören.

Für mich waren dies eher Gruselgeschichten, wie man sie zu später Stunde im trauten Kreis, um ein Lagerfeuer geschart, eben erzählt. Mit meiner Vorliebe für Horrorfilme war ich im Heim immer nur angeeckt. Meistens saß ich schon nach ein paar Minuten allein vor dem Fernseher, wenn ich ein Video ausgeliehen hatte. Je gewalttätiger, desto besser. Stark und rücksichtslos muss man sein, um im Leben etwas zu erreichen. Für mich waren diese Filme eine Vorbereitung auf die Realität. Härtetraining. Ich fand die Brutalität der Starken toll, ohne je über die Verlierer, die Schwächeren nachzudenken. Ich hatte einen Heidenspaß daran, meinen Mitbewohnern mit der detaillierten Schilderung von Massakern beim Essen den Appetit zu verderben oder sie abends vom Einschlafen abzuhalten. Es machte mich unbeliebt, doch ich sah das anders: verhöhnte und verlachte sie als Schlappschwänze und Weichlinge. Dabei hielt ich mich selbst für einen tollen Hecht. Einen harten Mann.

Kein Wunder also, dass ich die Schilderungen des Priesters gelassen aufnahm. Er wollte nur unsere Furchtlosigkeit testen. Dass ich diese schauerlichen Praktiken und Rituale je selbst miterleben würde, schien mir unwahrscheinlich. Diese Abende waren bei weitem angenehmer als die endlos langen, zum Großteil unverständlichen Messen, die immer mit dem obligatorischen Tieropfer endeten. Dass der Sinn dieser Lehrveranstaltungen eine Gehirnwäsche war, fiel mir nicht auf.

Neben dem theoretischen Teil gab es auch einen praktischen. »Gemeinschaftsaktionen« nannte man das. Da wurden Christen zusammengeschlagen oder Gottesmessen gestört, die Gläubigen eingeschüchtert oder zumindest belästigt. Nach der Lehre unseres Priesters galt dies als »Dienst an Satan«, für mich war es einfach eine Genugtuung: Endlich zählte ich zu den Starken und wurde für die rohe Gewalt gelobt, die mir in meinem bisherigen Leben immer nur Ärger eingebracht hatte. All meine aufgestauten Aggressionen und Frustgefühle konnte ich jetzt ausleben. Ich brauchte nur an all die Schläge zu denken, die ich früher von meinem Stiefvater und später von den älteren Jungen im Heim eingesteckt hatte, und schon fiel es mir leicht, Wehrlose und Schwächere zu traktieren. Der Rückhalt und die Anerkennung in der Gruppe stärkten mein Selbstvertrauen und verliehen mir eine bisher gänzlich unbekannte Macht. Es war ein irres Gefühl.

Die Tatsache, dass ich mir symbolische Zeichen und deren Bedeutung sowie die satanistischen Glaubensregeln ohne weiteres merken konnte, bestärkte mich in der Annahme, dass ich für dieses Leben wirklich bestimmt war. Denn normalerweise fiel es mir unglaublich schwer, in der Schule mitzukommen oder die Zusammensetzung und Bedeutung von Farbmischungen während meines Malerpraktikums im Gedächtnis zu behalten.

Es gab auch Frauen in unserer Gruppe. Sie schienen jedoch so gut wie keine Aufgaben erfüllen zu müssen. Während der Messen standen sie unbehelligt und scheinbar unbeteiligt in ihrem Teil des Kreises der Gläubigen. Wenn unser Priester während der Lehrstunden über Vergewaltigung und Kindestötung schwadronierte, löste das bei den Frauen nicht etwa Protest aus. Dass auch eine Satanistin, die bei einer Orgie geschwängert wird, ihr Kind Satan opfern muss, schien sie nicht weiter zu berühren. Aber vielleicht glaubten sie ebenso wenig an diese Geschichten wie ich. Was waren das für Frauen?

Ich konnte mir nicht vorstellen, dass sie alle dieses schreckliche Aufnahmeritual mitgemacht hatten. Peter klärte mich auf: »Die Frauen, die sich mit einem Satanisten einlassen, werden automatisch Mitglieder unserer Gemeinschaft. Sie brauchen keine Aufnahmeprüfung abzulegen. Sie sind Allgemeingut, das heißt, jeder kann sie haben. Du weißt ja, Satan duldet keine Liebe, also auch keine Besitzansprüche, die aus solchen Gefühlen heraus entstehen könnten.« Das musste ich erst einmal verdauen: Man kann mir doch nicht verbieten, mich zu verlieben! Und wenn ich verliebt war, dann wollte ich diese Frau auch nicht mit anderen Kerlen teilen.

Sandra! Ich musste sofort mit ihr Schluss machen. Welch ein Glück, dass ich sie Peter gegenüber nie erwähnt hatte.

Ein leichter Entschluss war die Trennung nicht. Aber es musste sein, denn ich wollte Sandra auf keinen Fall mit in diese Sache hineinziehen. Allein der Weg zu ihr war ein Spießrutenlauf. Die Angst vor den Dämonen des Herrn saß mir im Nacken. Ich machte Umwege, versuchte immer wieder unauffällig festzustellen, ob ich von irgendwelchen Hünen verfolgt wurde. Dabei zermarterte ich mir den Kopf, wie ich diese Geschichte beenden könnte, ohne Sandra zu sehr wehzutun. Die Wahrheit konnte ich ihr schließlich nicht sagen. Das große Geheimnis, die Angst um meine ahnungslosen Freunde, lastete an diesem Tag wieder einmal wie ein dicker Mühlstein auf meiner Seele. Niedergeschlagen klingelte ich am Haus ihrer Eltern. Sie öffnete die Tür und wollte mir gleich um den Hals fallen. Entsetzt schob ich sie weg. Wenn ich den oder die Schergen nun doch nicht abgehängt hatte? Ich hätte es mir nie verziehen, wenn sie gerade heute noch von der Existenz meiner Freundin erfahren hätten.

Sandra fand meine Ablehnung gar nicht gut: »Was ist denn mit dir los? Drei Wochen haben wir uns nicht gesehen, und jetzt kriege ich nicht einmal einen Kuss? Warum bist du überhaupt gekommen?« Schnell zog ich sie in ihr Zimmer und schloss die Tür hinter uns. Dann legte ich mich auf ihr Bett und stierte an die Decke. Sie muss diese Pose missverstanden haben, denn sie setzte sich zu mir, beugte sich über mich und fing an, mein Gesicht mit Küssen zu bedecken. Ich konnte nicht anders, ich schloss die Augen und genoss ihre Nähe, die sanften Berührungen, ließ mich fallen, vergaß, warum ich gekommen war, es gab nur noch ihren warmen Körper und ihre weichen, immer fordernder werdenden Lippen. Sie drückte sich fester an mich – der stechende Schmerz meiner angebrochenen Rippen holte mich zurück in die Wirklichkeit.

Unvermittelt sprang ich auf und fing an zu schimpfen: »Was willst du eigentlich von mir? Machst mir Vorwürfe, weil wir uns drei Wochen nicht gesehen haben! Wir sind ja schließlich nicht verheiratet. Ich kann tun und lassen, was ich will. Und jetzt bin ich eben lieber mit meinen Freunden zusammen als mit dir. Wenn dir das nicht passt, ist es wohl besser, wenn wir gleich Schluss machen.«

Nur kurz wagte ich zu ihr hinüberzusehen, während ich wütend vor ihrem Bett auf und ab stapfte. Aus den Augenwinkeln sah ich ihre weit aufgerissenen Augen, in denen schon die Tränen standen. Zutiefst erschrocken starrte Sandra mich an. Aber das machte mich nur noch wütender. Trotzig dachte ich: »Du bist ein Satanist. Keine Gefühle. Kein Mitleid.« Und in diesem Moment half mir dieser Gedanke, sie weiter zu beschimpfen. »Ich kann keinen Klammeraffen gebrauchen«, und: »Im Bett hatte ich auch schon bessere.«. Das waren noch die harmloseren Gehässigkeiten, die ich dem armen Mädchen an den Kopf warf. Ich *musste* ihr doch wehtun! Wie sollte ich sie sonst loswerden?

Sie weinte herzzerreißend, umschlang meine Hand und jammerte immer nur: »Was habe ich dir denn getan? So habe ich das doch nicht gemeint!« Sie flehte mich inständig an, doch mit ihr darüber zu reden. Doch das konnte, wollte und durfte ich ja gerade nicht. In meiner Hilflosigkeit riss ich mich von ihr los und stürmte Hals über Kopf aus dem Haus. Danach lief ich stundenlang ziellos durch die Stadt, verfluchte die Satanisten, Peter und mich. Doch schließlich tröstete ich mich mit dem Gedanken, dass ich Sandra damit wohl das Leben gerettet hatte, auch wenn sie es niemals erfahren würde.

4

Etwa zwei Monate waren vergangen. Regelmäßig an den Wochenenden war ich zu den Messen erschienen. Eines Tages sprach mich der Priester an: Es sei an der Zeit, meine erste Prüfung abzulegen, bemerkte er trocken. »Du hast bewiesen, dass du leben und fühlen kannst wie Satan. Heute Abend wirst du zeigen, dass du auch handeln kannst wie Satan. Bestehst du diese Prüfung, wirst du aufgenommen in den inneren Kreis.«

Ich war immer noch entsetzlich naiv, trotz der schrecklichen Dinge, die ich inzwischen bei den Satanisten erlebt hatte. So naiv, dass mich diese Aufforderung damals fast ein wenig stolz machte. Ich fühlte mich geschmeichelt: Nach so kurzer Zeit meiner Zugehörigkeit wollte mich der Priester bereits in den Rang eines Jüngers erheben. Schließlich wusste ich, dass es in der Meute eine Menge Leute gab, die auf diese Auszeichnung jahrelang vergeblich warteten. Aber ich war ihm aufgefallen. Er war zufrieden mit mir, weil ich ohne Skrupel, Bedenken und vor allem ohne Mitleid fremde Menschen auf Befehl zusammenschlagen konnte. Wahrscheinlich hatte Peter ihm auch von meiner Hochstimmung nach solchen Aktionen berichtet. Die Anerkennung und der Respekt, die andere mir entgegenbrachten – das war es, was bei mir dieses Glücksgefühl auslöste. Für den Priester aber war meine Euphorie der Beweis, dass ich die Kraft Satans sowie die Veranlagung in mir hatte, ein guter – oder sollte ich sagen – williger Satansjünger zu werden. Einer, der es mit dem nötigen Training durchaus selbst bis zum Priester bringen könnte.

Am Ende dieser Nacht würde nun auch ich zu den Jüngern gehören, dieser handverlesenen, auserwählten Runde, die sich dicht um den Priester scharte. Ich würde auch eine braune Kutte mit Kapuze tragen dürfen, die Satansbibel (das sechste und siebte Buch Mose) und das umgedrehte Kreuz aus Knochen erhalten – jene Utensilien eben, die mich nach außen hin sichtbar aus der Mitläufermeute herausheben würden. Und ich würde eine neue Heimat finden, meine neue Heimat. Der Gedanke befriedigte mich.

Bis zu diesem Tag hatte ich noch keine Einstandsprüfung für Jünger miterlebt, und Peter schwieg sich wohlweislich wieder einmal aus. Er fütterte mich immer nur mit den allernötigsten Informationen. Warum wohl? Mit diesem Gedanken platzte meine Hochstimmung wie eine Seifenblase. Die Bilder der erbarmungslosen Misshandlungen, denen ich bei meiner Aufnahmeprüfung ausgesetzt gewesen war, durchzuckten mein Gehirn und ließen mein Selbstbewusstsein auf Null sinken. Da war es wieder, das schwarze Loch der Angst. Panik! Was würden sie mir diesmal antun? Würde ich es schaffen? Würde ich es überleben?

Mit weichen Knien und wild klopfendem Herzen nahm ich den mir zugewiesenen Platz vor dem Altar ein. Äußerlich wirkte ich cool, meinen Blick heftete ich auf den goldenen Totenkopfkelch. Das matte Licht der Kerzen schien den Schädel zu einer hämisch grinsenden Fratze zu verzerren. Ich schloss die Augen und schüttelte kurz den Kopf, um meine ängstlichen, mich lähmenden Gedanken zu verscheuchen. »Hör auf zu denken! Sieh woanders hin!«, befahl ich mir.

Der Priester trat ein, gefolgt von seinen vier Schergen. Einer von ihnen zog ein Schaf hinter sich her. Geschickt, blitzschnell und ohne große Umstände wurde es mitten auf dem Altar festgezurrt. Bis jetzt war das Tieropfer immer der Höhepunkt der schwarzen Messen gewesen und fand erst gegen Ende der Zusammenkunft statt. Heute war alles anders. Heute wurde die Messe mit dem Opfer eröffnet. Das frische Tierblut durfte ich als Erster trinken. Der Priester reichte mir den Kelch mit den Worten: »Nimm von dieser guten Seele. Sie wird dir Kraft geben, deine Aufgabe zu bewältigen.« Ergeben nahm ich einen Schluck. Danach hob der Priester das Gefäß an seine Lippen. Auch das war ungewöhnlich, denn normalerweise trank er zuerst und reichte den Bluttrunk danach weiter an seine Jünger. Diesmal nicht.

Der Priester setzte den Kelch auf der Altarplatte ab. Dann bückte er sich und holte aus einem kleinen Käfig, den ich bis dahin nicht bemerkt hatte, einen Hamster hervor. Er drückte ihn mir in die Hand, sah mir streng in die Augen und befahl: »Iss!«

Ich musste mich verhört haben! Das konnte er doch nicht ernst meinen! Die kalte Stimme des Priesters wurde deutlicher: »Du sollst ihm den Kopf abbeißen!« Ungläubig und entsetzt glotzte ich ihn an. »Das kann ich nicht, das kann ich nicht«, murmelte ich mit erstickter Stimme. Befehlsverweigerung! Wie konnte ich es wagen? Forsch griff der Priester nach meiner linken Hand – und brach mir den kleinen Finger. Aber anstatt wieder loszulassen, drückte er den Finger fester und fester. Ich stöhnte und brüllte. »Steck seinen Kopf in deinen Mund und beiß ihm den Hals ab.« Erbarmungslos drangsalierte mich der Priester weiter. »Wenn du es nicht kannst, landest du auf dem Opfertisch!« Und noch lauter setzte er nach: »Satan, der Herr, verlangt das von dir, auf dass du daraus Kraft schöpfen mögest und deine Seele vom Christentum gereinigt werde.«

Immer noch blieb ich regungslos, paralysiert. Einer der Schergen packte mich und hielt mich fest: Dann trafen zwei wuchtige Schläge auf meine Rippen und unterstrichen die Forderung des Priesters. Bis zum Erbrechen angeekelt schüttelte ich den Kopf. Doch der Priester ließ nicht locker. »Iss, Satan, unser Meister hat es befohlen. Nur so kann deine Seele rein werden und ins Reich der Finsternis übergehen.«

Der Priester war ganz dicht an mich herangetreten. Durch die Kapuze hindurch spürte ich seinen Atem auf meinem Gesicht. Noch immer presste er meine Hand, der Druck auf meinen gebrochenen Knochen wurde schier unerträglich. Völlig von Sinnen und ohnmächtig verzweifelt tat ich, was ich tun musste. Dann war es still. »Sehr gut«, lobte mein Peiniger, »und jetzt gut kauen und schlucken.« Oh, nein! Wie sollte ich das schaffen? Mit einem letzten

Rest Zynismus rettete ich mich in meine Fantasie: Ich versuchte mir vorzustellen, gerade einen harten Bonbon zu zerbeißen. Das half – ein verdammt kleines bisschen wenigstens. Trotzdem brauchte ich mehrere Stunden, um alles hinunterzuwürgen. Währenddessen hielten mich die Schergen in Schach. Immer wieder zögerte ich und wollte mich abwenden. Es kostete mich ständig maßlose Überwindung. Aber für jedes Kopfschütteln, für jedes Anzeichen von Widerwillen und Auflehnung prasselten weitere Schläge auf mich nieder. Ich kämpfte mit einem gnadenlosen Würgereiz. »Wehe, du kotzt,« raunte einer der Schergen in mein Ohr, riss mir den linken Arm nach hinten und kugelte mir dabei die Schulter aus. Und während ich mit den Tränen kämpfte, würgte, schluckte und wieder würgte, kniete der Rest der Gruppe mit gesenkten Köpfen um uns herum. Sie begleiteten meine Qualen mit dem eintönigen Gemurmel von Gebeten.

Als ich diese Folter endlich überstanden hatte, wurde ich belohnt: Man reichte mir meine neue Kutte, ich durfte sie anziehen und die Kapuze aufsetzen. Der Priester schlurfte zurück an den Altar, auf dem noch das Opferschaf lag. Mit einem geschmeidigen Ruck vergrub er seine Hand tief in dem Tier und riss ihm das triefende Herz heraus. Mit weit ausgestreckten Armen hielt er es in die Höhe und sprach: »Sehet die Opfergabe und preiset Satan! Unser Bruder hat bewiesen, dass er die Lust am Töten in sich hat! Preiset Satan!«

Die Kapuze verdeckte kühlend und schützend mein vor Schmerzen pochendes Gesicht. Unter der

Maske aus braunem Stoff konnte ich endlich all den in mir angesammelten Ekel abreagieren: Ich zog Grimassen in einer Tour – aber äußerlich bewahrte ich die Ruhe. Mir hatte dieses Ekeltraining nur eines bewiesen: dass ich gegen diese kollektive Brutalität machtlos war und der Sekte ausgeliefert auf Gedeih und Verderb. Vergessen war der Spaß, den ich bei unseren Gemeinschaftsaktionen gehabt hatte. Der Priester hatte mich gedemütigt, mir zu verstehen gegeben, dass er es war, der alle Macht besaß. Und dass ich immer noch zu denen gehörte, die sich fügen mussten.

Als Peter mich morgens nach Hause fuhr, überschüttete ich ihn mit Vorwürfen. Schließlich hatte er mir nach der Aufnahmeprüfung doch versichert, dass es nicht mehr schlimmer kommen würde. Dafür entschuldigte er sich zwar, konterte aber: »Nur so wirst du Satan näher kommen. Du musst Böses tun, du musst den Hass als einzige Lebensform annehmen. Dieses Ekeltraining brauchst du, damit du deine anerzogenen christlichen Gefühle loswirst. Dann wirst du die Macht Satans in dir spüren.« Indem er mir diese Macht versprach, die mir ungeahnte Kräfte verleihen würde, hat Peter noch oft versucht, mich zu trösten. Geglaubt habe ich ihm nie, höchstens gehofft. Langsam kapierte ich, dass sich den Teufelsanbetern wohl kaum jemand anschließen würde, wenn sie von Anfang an mit offenen Karten spielen würden.

An diesem Morgen fuhr Peter mich zum Krankenhaus, ohne dass ich ihn darum gebeten hatte. Der Dienst habende Arzt in der Ambulanz versorgte mich nicht zum ersten Mal. Nach der Untersuchung schüttelte er resigniert den Kopf: »Kannst du kein normales Leben führen, Junge? Was soll denn noch alles passieren?« Doch er schien zu wissen, dass Nachbohren und Aushorchen nur Lügen nach sich ziehen würden. Deshalb fragte er mich auch nicht mehr nach den Ursachen meiner Verletzungen. Ich mochte ihn. Also schenkte ich ihm mein aufmunterndstes Lächeln, und er machte sich an die Arbeit: renkte mir die Schulter wieder ein, legte einen Verband um meine schmerzenden Rippen, vergipste mir den Ellbogen und die gebrochenen Finger. Lange würde ich die schmerzlindernden Verbände sowieso nicht anbehalten können. Für drei Tage meldete ich mich im Heim krank. Ich würde bei meiner Schwester bleiben, log ich. In Wirklichkeit übernachtete ich bei meinem Freund Sven, den ich noch von früher kannte, als ich noch bei meinen Eltern gelebt hatte.

Bevor ich wieder zurück ins Heim ging, half er mir – zwar unter Protest – die Gipsverbände abzureißen. Verstanden hat er mich nicht, aber wer verstand mich schon in dieser Zeit? Außerdem handelte ich getreu der satanistischen Devise: »Gib deinen Glauben preis, aber niemals gegenüber Christen, die deinen Glauben nicht verstehen.« Wie hätte ich denn auch die neuerlichen Gipsverbände meinen Erziehern begreiflich machen sollen? Sollte ich katholischen Erziehern was von der Kraft Satans predigen? Ich hatte null Bock auf ihre lästigen Quengeleien. Lieber ging ich ohne Murren und ohne viel Aufhebens mit schmerzenden und geschwollenen Glie-

dern zu meinem Malerpraktikum. Bloß keine neuerlichen Verhöre! Und während ich mich so durch den
Tag quälte, verbissen versuchte, die Schmerzen zu
unterdrücken, spulte ich in meinen Gedanken trotzig und gebetsmühlengleich den Leitsatz der Satanisten ab: »Diene Satan, und er gibt dir die Kraft.
Diene Satan, und er gibt dir die Kraft …«

Eigentlich hatte ich tierischen Schiss, dass meine
gottesfürchtigen Heimerzieher etwas von meinen
satanistischen Aktivitäten merken könnten. Diese
Furcht half mir, ohne die schützenden Gipsverbände
durchzuhalten. Es ist ein Dienst an Satan, redete ich
mir ein. *Er* wird stolz auf mich sein. Und mit einem
Mal fühlte ich mich den Erziehern haushoch überlegen. Was waren sie doch für dumme und unwissen-
de Gestalten, alle. Meine Betreuer ebenso wie die
anderen Heimbewohner. Lukas, das unerwünschte
Kind, Lukas, das Heimkind, jetzt war ich ein Satansjünger mit der Macht Luzifers in mir. Und diese
Macht verlieh mir ungeahnte Kräfte. Die Kraft Satans. Sie machte mich stark genug, um ihnen allen
etwas vorzuspielen, diesen ahnungslosen, selbstge-
fälligen Spießern. Ich gefiel mir in der Rolle des Ab-
trünningen, des Andersseins, des Märtyrers. Mein
Schmerz war wie weggeblasen. Er war abgetötet. Ich
war wie in Trance. Ich fühlte mich gut.

In den nächsten Tagen musste ich Unmengen von
Flüssigkeit trinken, um den pelzigen Belag aus meiner rauen Kehle zu vertreiben. Doch so recht wollte
der Nachgeschmack des Hamsters nicht vergehen.
Auch der Appetit am Essen war mir gründlich vergangen, und Fleisch konnte ich schon gar nicht mehr

sehen. Ständig tat mir der Magen weh, und wenn ich aufstoßen musste, füllte sich mein Mund mit modrigem Gestank. Aber nicht mal den Finger konnte ich mir in den Hals stecken! Allein der Gedanke, dieses Tier nochmals in irgendeiner Form wieder sehen zu müssen, brachte mich fast um den Verstand.

Je näher das nächste Wochenende rückte, desto mehr sank meine Lust auf Satan. Ich hatte Angst vor der nächsten Messe. Angst davor, was noch alles passieren würde. Aber dann wuchs in mir wieder dieser unerklärliche Drang, der über all meine Bedenken erhaben war, und trieb mich hin. Schließlich würde ich nicht bei jeder Messe einen Hamster fressen müssen. Ein guter Gedanke. Und schon keimte neuer Mut in mir. Es zog mich zurück in diese Gemeinschaft, die eigentlich keine war. Gemeinsame Entscheidungen gab es schließlich nicht, sondern nur die des Priesters. Trotzdem: Es war meine Gruppe. Sie waren die Einzigen, die mir dieses wunderbare, kostbare Gefühl gaben, etwas geleistet zu haben. Gegen Ende der Woche ging es mir wieder besser, ich fühlte mich so angenehm leer. Ja, leer, denn etwas in meinem Inneren war tot, abgestorben, ausgelöscht. Waren es meine Gefühle? Meine Seele? Die gute Seite meiner inneren Stimme schien sich verabschiedet zu haben. Das Ekeltraining hatte seinen Zweck erfüllt.

Man hatte mir aufgetragen, nun regelmäßig Blut zu trinken, um meine Seele vom Christentum zu reinigen. Ich ging deshalb zum Metzger und erfand eine Geschichte von meiner Großmutter, die für ihre fabelhaften Soßen nun einmal Schweineblut benötige. Nicht einmal ein Hauch von Misstrauen zeigte sich im Gesicht des Fleischers. Und ich erhielt, wonach ich verlangt hatte.

Warum ich das Blut freiwillig, ganz für mich getrunken habe? Inzwischen war ich sicher, dass ich von den Schergen des Priesters überwacht wurde. Sie wussten so unglaublich viele Dinge von mir. Zu viel. Sachen, die auch mein alter Freund Peter nicht wissen konnte, da sie erst geschehen waren, nachdem ich von zu Hause und von Peter weggezogen war. Ich glaubte, die Satanisten wären allgegenwärtig. Hätte ich das Blut im Heim nicht getrunken, wie wäre die Bestrafung diesmal ausgefallen? Vielleicht hätte man mich wieder zusammengeschlagen, vielleicht wäre ich aber auch auf dem Opfertisch gelandet. Mein ewiger Albtraum, die Angst meiner Ängste: der Tod auf dem Opferaltar der Satanisten. Ich war gefangen in einem Käfig der Angst. Nein, dann schon lieber Blut trinken. Blut schmeckt besser als der Tod. Leben wollte ich, wenigstens noch ein bisschen. Okay, mein Leben war ziemlich beschissen, aber so früh abgeben wollte ich den Löffel nicht. Noch nicht!

Anfang April, etwa drei Wochen nach meiner Aufnahmeprüfung zum Satansjünger, bekam meine Gruppe Besuch von einem amerikanischen Priester. Er bestätigte die Erzählungen, dass wir Teil einer internationalen Organisation mit viel Macht und Einfluss seien. Dieser Priester war anders, er wirkte fies, ja unheimlich. Noch vor Beginn der Messe wurde ich, der neue Jünger, ins Hinterzimmer zitiert. Peter konnte mich noch kurz warnen: »Sag nur, was du gerade denkst, bloß nichts anderes«, flüsterte er mir zu. Inzwischen wusste ich, dass ich mich auf seine Ratschläge verlassen konnte. Er hatte mir damit schon oft geholfen. Als ich vor der verhüllten Gestalt des Amerikaners stand, beschlich mich ein beklemmendes Gefühl: Seine Ausstrahlung war fremd, bedrohlich, schier dämonisch. Auch wenn ich das zunächst nur an seinen Augen ablesen konnte. Aber ich täuschte mich selten, denn inzwischen hatte ich meinen Blick geschärft und war in der Lage, Menschen nach dem Ausdruck ihrer Augen einzuschätzen. Mehr blieb mir ja nicht bei der ständigen Vermummung.

Rohheit und Härte lagen in seinem Blick, als er mich barsch fragte: »Welchen Glauben hast du angetreten?« Mit Höflichkeitsfloskeln hatte dieser Typ nichts am Hut. »Gar keinen«, antwortete ich und erinnerte mich an Peters Worte, es mit der Wahrheit zu halten. Doch weiter kam ich nicht. Seine Faust landete in meinem Gesicht, fast gleichzeitig sein Fuß auf meinem Oberschenkel. Ich klatschte zu Boden, aber er trat weiter auf mich ein. Wohl ein Profi, dachte ich, denn er hatte mir nichts gebrochen. Schmerzverkrümmt lag ich vor ihm und kam nicht mehr auf die Beine. »Den satanistischen Glauben hast du angetreten und sonst keinen.« Seine eindringliche Stimme röhrte direkt über meinem Gesicht. Der Kerl sprach erstaunlich gut Deutsch. Sein amerikanischer Akzent war kaum zu hören. »Merk dir das: den satanistischen Glauben!« Er wiederholte diesen Satz immer wieder, während er mich weiter mit seinen Füßen traktierte.

»Gut«, dachte ich im Stillen, »ich glaube an Satan, ich bin ein Teufel.« Kein Laut war dabei über meine Lippen gekommen, ich schwöre es. Doch er zischte mich an: »Du bist kein Teufel, du bist ein Sohn Satans.« Du liebe Güte! Der Kerl konnte Gedanken lesen! Diese Erkenntnis war das Schlimmste an dieser Begegnung. Meine einzige Zuflucht, mein kostbarstes Eigentum hatte er mir geraubt. Mein Innerstes lag nackt vor ihm wie ein offenes Buch. Er hatte mich geknackt, war in mich eingedrungen wie ein Dieb in einen verrotteten Tresor, leichtfüßig, präzise, berechnend. »Die Gedanken sind frei«, diesen Spruch konnte ich wohl vergessen. Mit der Demonstration seiner unglaublichen Fähigkeit hatte er in Windeseile geschafft, was unser Priester seit meinem Eintritt in die Sekte vergeblich versucht hatte: Er hatte mich gebrochen, mich meiner inneren Freiheit beraubt, der Freiheit zu denken. Nun war ich so durchsichtig wie Glas und ebenso zerbrechlich. Er war ein Magier, Satan in Menschengestalt.

Jedes Härchen auf meinem Rücken begann sich zu sträuben. Kalter Angstschweiß vereiste meine Haut. Ich kniff die Augen zu und bemühte mich angestrengt, nicht mehr zu denken. Bloß nicht denken, alles hinnehmen. Die Wucht seiner grausamen Tritte machte mich bewusstlos. Als ich wieder zu mir kam, stand der Amerikaner noch immer neben mir. Leise tuschelte er mit zwei anderen Jüngern. Ich wollte raus. Nur raus aus dieser elenden Kammer, weg hier, weit fort von diesem pügelnden Wahnsinnigen mit der Macht Satans hinter sich. Nur noch abhauen. Ich wünschte mich weg von dieser unbegreiflichen Kraft, von Satan, der nichts anderes für mich übrig zu haben schien als die Lust an meinem Leid, meinem Schmerz und meiner Demütigung.

Abrupt drehte sich der Priester zu mir. Unwillkürlich schloss ich die Augen und hielt vor Bangen die Luft an. Auf meinen Körper und mein Gesicht senkte sich ein eisiger Hauch, als er sich über mich beugte. In einem Tonfall, der keinen Widerspruch duldete, raunte er mir ins Ohr: »Wenn du gehst, wirst du sterben. Bis zu deinem Tod aber wirst du endlos unglücklich sein.« Damals konnte ich mit dem »endlos unglücklich sein« nichts anfangen. Es sagte mir nichts. Aber dieser Satz hatte sich in mein Gehirn geätzt. Viel später erst sollten diese Worte ihre schreckliche Bedeutung entfalten.

Widerwillig zerrte er mich hoch, würgte mich von hinten mit seinem Arm und polterte: »Stehst du zu Satan, trittst du den Glauben an, wirst du glücklich sein.« Ich gab ihm keine Antwort und unterdrückte jeden Gedanken. Erst draußen traute ich mich, meine innere Stimme sprechen zu lassen: »Wie kann man glücklich sein, wenn man immer nur zusammengeschlagen wird?« Durch rohe Gewalt also, und offenbar nur durch sie, sollte ich Satan verehren lernen. Das war ihr Rezept. Doch diese ewige Gewalt schreckte mich ab. Merkwürdig eigentlich, denn ich kannte es doch gar nicht anders. Von Kindesbeinen an hatte ich mich nur einem Gesetz unterwerfen müssen: der Gewalt.

Mein Stiefvater zum Beispiel hatte dieses Gesetz zu einem grausamen Spiel verfeinert: An einem Nachmittag gingen wir am Kanal spazieren, ich war etwa drei Jahre alt. Plötzlich beschloss er, ich müsse nun schwimmen lernen. Also warf er mich kurzerhand in den Kanal. Ich paddelte um mein Leben! Auch wenn ich danach wusste, dass ich mich über Wasser halten konnte – vor dem Schwimmbad drückte ich mich, wann immer ich konnte, in der Schule und im Heim. Freiwillig war ich bis heute nicht im Wasser. Ein anderes Mal nahm mein Stiefvater meine jüngere Schwester Katja und mich mit auf die Kirmes. Nett? Auch da galt die Devise: Wir werden jetzt viel Spaß haben, aber was Spaß macht, bestimme ich. Trotz meiner panischen Angst vor der Achterbahn zwang er mich zu dieser Berg- und Talfahrt. Mein Schreien und Heulen ignorierte er einfach. Seitdem leide ich unter Höhenangst.

Obwohl mich die erbarmungslose Brutalität der Sekte einerseits abstieß, so fühlte ich mich andererseits im Satanismus auch zu Hause. Vielleicht, weil die Methoden so vertraut waren, weil sie mich so sehr an meine Kindheit erinnerten. Der amerikanische Priester beispielsweise verschwendete keine Zeit mit Begrüßungs- oder Höflichkeitsfloskeln. Direkt, autoritär und mit einer Menschenverachtung, die mir den Atem nahm, zwang er jedem seinen Willen auf. Auch ohne seine Fähigkeit, Gedanken zu lesen, war er für mich die unanfechtbare Respektsperson schlechthin. Das Endprodukt des satanistischen Drills. Ich fand ihn abstoßend und doch faszinierend. Ein menschlicher Roboter. Wollte ich werden wie er? Eine unnütze Frage, mein Weg wurde vom Priester bestimmt, von Satan vorgezeichnet. Das hatte ich nun begriffen. An diesem Tag habe ich sie verloren, die Hoffnung, eines Tages doch noch lebend aus dieser Sekte herauszukommen.

5

In den nächsten Monaten wurde ich darauf gedrillt, Satan und seiner Ideologie näher zu kommen. Wärme, Anteilnahme und Mitgefühl, gemeinhin bekannt als menschliche Tugenden, sollten aus meinem Denken und Handeln verbannt, ja ausradiert werden. Es war die lange Vorbereitungszeit auf meine zweite Prüfung.

Alles fing relativ harmlos an. Zunächst waren es Fremde, die ich auf der Straße zusammenschlagen sollte. Dazu schickte mich der Priester mit zwei Begleitern los. Die beiden hatten die Aufgabe, mir auf der Straße ein willkürlich ausgesuchtes Opfer zuzuweisen. Außerdem wachten sie darüber, dass ich den armen Kerl auch kräftig genug verdrosch. Ihr Rapport beim Priester schloss die Sache ab: Sie mussten ihm umfassend Bericht erstatten.

Beim ersten Mal hatte ich wirklich Mitleid mit dem jungen Mann, den sie mir ausgesucht hatten. Ahnungslos stand er da auf der Straße, etwas abseits von einer Disko und flirtete mit zwei Mädchen herum. Der sollte es also sein, ihn sollte ich plattmachen. Und irgendwie musste ich anfangen... Also pöbelte ich eine der beiden Perlen an. Es funktionierte – er ließ den heldenhaften Beschützer raushängen und stritt sich halbherzig mit mir herum.

Aber so richtig ernst schien er mich nicht zu nehmen. Seine herablassende Art, seine überlegene Miene, der abschätzende Blick, mit dem er mich musterte und sein dummes Gelaber – gerade das brachte mich richtig in Fahrt. Argumente habe ich schon immer gerne mit Dresche beantwortet – wie ich es von meinem Stiefvater gelernt hatte. Also knallte ich ihm erst mal eine. Dann fing ich an, in Boxermanier vor ihm herumzutänzeln. »Na komm schon, Milchbubi, trau dich!«, lockte ich gut gelaunt. Überrascht wich er zurück, die Arroganz war ihm aus dem Gesicht gefallen. Hilflos schaute er sich um, jetzt saß ihm die Angst im Nacken. Mit einem Mal war der junge Herr gar nicht mehr so selbstsicher, aber vor seinen Begleiterinnen konnte er nun keinen Rückzieher mehr machen. Er versuchte, auf mich loszugehen – ich grinste siegessicher. Denn gegen meine Fäuste hatte er keine Chance. Das wusste ich. Mit jedem Schlag gegen ihn stieg mein Adrenalinspiegel: zwei, drei Fausthiebe ins Gesicht, einen in den Magen – und schon ging er zu Boden. Mit Triumphgeschrei stürzte ich mich auf den arroganten Schnösel, drosch auf ihn ein, als wäre er schuld an meiner ausweglosen Lage. Ich schlug wie wild auf ihn ein, war wie betäubt und bekam von meiner Umgebung nichts mehr mit. Heute weiß ich nicht mehr, ob er sich überhaupt gewehrt hat. Plötzlich war Peter da, riss mich weg und schrie: »Genug jetzt, abhauen!«

Aus der Disko nebenan kamen mehrere Typen auf uns zugelaufen, und wir nahmen die Beine in die Hand. Wir rannten, so schnell wir konnten, bis wir sicher waren, dass sie uns nicht mehr verfolgten. Ich fühlte mich wunderbar, total überdreht und glücklich. Zurück auf dem Industriegelände wurde meine Leistung bei der anschließenden Messe vom Priester lobend hervorgehoben. Ich wurde anerkannt, meine Schlagkraft gewürdigt. Was wollte ich mehr?

Leider wollte Satan mehr. Er gab sich nicht damit zufrieden, dass ich Fremden gegenüber aggressiv, roh und gemein sein konnte. Nein, als Nächstes waren meine Freunde an der Reihe. Dirk war der Erste, den ich Satan opfern musste. Peter und ich waren gerade vor der Halle eingetroffen. Noch bevor ich meine Kutte überziehen konnte, rauschte der Priester auf uns zu. Ohne Umschweife kam er zur Sache: »Ich habe einen Auftrag für dich: Dirk Weber. Geh und mach ihn fertig!«

»Aber ... aber, ... das ist ein Freund von mir«, stotterte ich bestürzt. Es musste sich um ein Missverständnis handeln. Aber nein! Natürlich nicht. »Im Satanismus gibt es keine Freundschaft. Freundschaft ist eine christliche Untugend, die wir dir austreiben müssen«, donnerte der Priester. Dann holte er tief Luft und fügte fast freundlich hinzu: »Mit diesem Auftrag helfen wir dir, Satan besser zu verstehen und unserem Herrn näher zu kommen.« Seine Friedfertigkeit ermutigte mich zu der schüchternen Nachfrage: »Und wenn ich es nicht tue?« Die kalten Fischaugen des Priesters blitzten kurz auf, doch seine Stimme blieb gelassen: »Dann landest *du* auf dem Opfertisch.«

Schweren Herzens zog ich also los. Umzusehen brauchte ich mich nicht. Selbstverständlich würden sie mir auf den Fersen bleiben, meine Kontrolleure. Mindestens zwei Schergen des Priesters würden jeden meiner Schritte beobachten. Also Kopf hoch, Brust raus, Schultern nach hinten und etwas Pepp in den Gang. Sie sollten bloß nicht merken, wie hundsmiserabel mir mal wieder zumute war.

Eine halbe Stunde brauchte ich bis zu Dirks Stammkneipe. Bevor ich hineinging, schickte ich noch ein Stoßgebet zum Himmel (ich Frevler!): »Bitte, lass ihn nicht hier sein!« Aber er war da. Und er freute sich riesig, mich zu sehen. »He, Alter! Komm rüber, ich geb einen aus!«, schrie er durch das ganze Lokal. Zögernd blieb ich zwischen Tür und Angel stehen. Ich fing an zu schwitzen. Überlegte fieberhaft, wie ich meinen gutmütigen, etwas dicklichen und gemütlichen Freund Dirk dazu bringen könnte, sauer auf mich zu werden. Um Zeit zu schinden, akzeptierte ich erst einmal das Bier, das er mir freudestrahlend unter die Nase hielt. Sein Lächeln erwiderte ich nicht. Aber schon das fiel mir schwer. Ihn, meinen guten Kumpel, ohne Grund anzugiften, das kostete mich einige Mühe.

Unwirsch riss ich ihm das Glas aus der Hand und nahm einen Schluck. Dann stützte ich mich am Tresen ab und schmollte düster vor mich hin. Dirk bemühte sich, mich aufzumuntern: »Mensch, Lukas, was ist los? Hat dich 'ne Perle versetzt, oder was? Komm, amüsier dich mit uns!« Ich versuchte, den kaltschnäuzigen Ton des Priesters nachzumachen: »Mach mich nicht von der Seite an, Alter, du hast ja keine Ahnung!« Dabei versetzte ich ihm mit dem Ellenbogen einen kurzen Stoß in die Rippen. Hart genug, dass ihm sein Bierglas, das er gerade zum Mund führen wollte, aus der Hand rutschte.

Plötzlich war es sehr still in der Kneipe. Dirk wollte immer noch abwiegeln und beschwichtigen. Leicht angesäuert, aber nicht mit der leisesten Absicht, auf mich loszugehen, meinte er verständnisvoll: »Komm, Lukas, du gibst mir jetzt ein Bier aus, dann setzen wir uns da hinten in die Ecke und du erzählst mir, was du hast!« Ich sah meine Chance. »Okay, nur, hier drinnen kann ich nicht mit dir reden. Lass uns nach draußen gehen. Das Bier kriegst du, wenn wir zurückkommen.«

Ich kam mir vor wie ein Schwein. Wie ein mieses, widerliches Verräterschwein. Hasste mich für mein schleimiges und verlogenes Gesülze. Doch es gab nur eins: er oder ich. Ich wollte nicht auf dem verdammten Altar mit den gefürchteten Folterfesseln landen. Es blieb mir nichts anderes übrig. Ich musste dieses ekelhafte Spiel weitertreiben.

Vertrauensselig legte mir Dirk im Hinausgehen seinen gut gepolsterten Arm um die Schulter. Draußen entfernten wir uns ein paar Schritte von der Kneipe. Wir sprachen kein Wort. Merkte er denn nicht, dass ich am ganzen Körper zitterte? Konnte er meine Anspannung nicht fühlen? »Warum rennst du nicht weg, du Idiot«, schrie es in mir. Gleich danach machte ich mir wieder Mut: »So ein Dussel! Der hat es gar nicht anders verdient.« Dirk blieb stehen, wandte sich mit einem Seufzer zu mir und bohrte: »Na, komm schon, raus damit! So schlimm kann es doch nicht sein!« – »Noch schlimmer, doch das wirst du nie verstehen«, erwiderte ich, holte aus und knallte ihm meine Rechte voll in den Magen. Mit ungläubig aufgerissenen Augen fiel Dirk vornüber. Ich nutzte die Gelegenheit für einen Aufwärtshaken unter die Nase. Noch im Fallen schnellte sein Kopf wieder in seinen Nacken zurück. Zwei, drei Fußtritte in die Rippen. Genug! Ich hatte mir vorgenommen, die Sache rasch hinter mich zu bringen. Er sollte wenigstens nicht lange leiden. Und er sollte keine Zeit haben, mir ein schlechtes Gewissen oder Mitleid einzureden.

Bevor ich wieder abzischte, zog ich ihn noch in Seitenlage. Schließlich wollte ich nicht, dass er an Nasenbluten oder an seiner Kotze erstickte. Dann hetzte ich davon. Sollten meine Beobachter doch sehen, wie sie hinter mir herkamen. Pflichtbewusst rannte ich zurück zum Industriegebiet, warf mich in meine Kutte und mischte mich unauffällig unter die anderen Jünger. Die Messe war in vollem Gang.

Diese Art von Prüfungsvorbreitung zog sich über Monate hin. Fast jedes Wochenende bekam ich nun einen solchen Auftrag. Kaum angekommen, schleuderte mir der Priester einen Namen entgegen: Christoph Hager, Werner Siegländer, Detlef Köster … ehemalige Mitschüler, Nachbarn, Bekannte, Freunde. Stumm und ergeben machte ich auf dem Absatz kehrt und erfüllte meine Pflicht. Nach außen mimte ich den Abgebrühten. Doch in mir tobte das schlechte Gewissen: Mitleid mit meinen Opfern und auch Scham. Ja, ich fand es beschämend, über ahnungslose und gutgläubige Freunde herzufallen. Wie eine hinterhältige, unberechenbare Bestie missbrauchte ich ihr Vertrauen. Dazu kam dann noch diese frustrierende Hilflosigkeit: Ich war ein Gefangener ohne Rechte, ohne Meinungs- oder Entscheidungsfreiheit. Also versuchte ich, mich gefühlsmäßig von meinen Taten zu distanzieren. Dabei stellte ich mir vor, ich wäre jemand anders. Ein Roboter. Ohne Gehör, Gespür oder Gefühl. Anfangs war das ein hartes Stück Arbeit, aber mit der Zeit klappte es ganz gut.

Wenn ich nur gewusst hätte, warum ich das alles tun musste. Ich versuchte, Peter auszuhorchen. Dieses »Freunde abtöten«, wie er es nannte, ist Abhärtungstraining. Und das wäre nun mal nötig, um mich auf die nächste Prüfung vorzubereiten, erklärte er mir. »Wozu brauchst du Freunde? Das sind doch sowieso alles nur Schmarotzer, wollen dein Geld, dein Ohr, dein Mitgefühl. Scheiße! Du hast jetzt uns. Und du musst eben beweisen, dass wir dir wichtiger sind als deine Kumpels von früher.« – »Aber was ist mit uns beiden?«, widersetzte ich mich, »wir sind doch auch Freunde?!« – »Wir sind eine Zweckgemeinschaft, vergiss das blöde Wort Freundschaft«, war die schroffe Retourkutsche. Das tat erst mal weh. Doch warum eigentlich? Je länger ich darüber nachdachte, desto mehr Sinn ergab diese Gefühllosigkeitstheorie: keine Freunde, keine Gefühle, also auch keine Enttäuschungen. Macht das Leben leichter, oder? Und Satan wollte doch nur mein Bestes. Das hatte ich inzwischen kapiert. Also führte ich diese scheinbar unsinnigen Befehle weiterhin aus. Blind, stur und mit zunehmender menschenverachtender Gleichgültigkeit.

Andy, Matt, Geggi, Werner, ... alle habe ich scheinbar zufällig getroffen, provoziert und schließlich befehlsgetreu zusammengeschlagen. Bis zu meiner zweiten Prüfung habe ich auf diese Weise bestimmt zwanzig gute alte Freunde verloren. Nur nicht darüber nachdenken! Doch während ich meine Kumpels krankenhausreif prügelte, wusste ich nie, wen ich mehr hasste: Satan oder mich selbst.

Eine Sache verunsicherte mich immer aufs Neue: Woher kriegte der Priester all diese Namen? Zuerst hatte ich natürlich Peter in Verdacht, doch woher sollte er von Leuten wissen, die ich erst seit meinen Heimaufenthalten in anderen Städten kannte? Das konnte eigentlich nur das Machwerk des amerikanischen Priesters sein, dem mit der Fähigkeit, Gedanken zu lesen. Von da ab bemühte ich mich, gar nicht mehr an Freunde zu denken. Auch wenn kein Satanist in meiner Nähe zu sein schien. Sicher war ich ja nie.

Bei diesen Überfällen auf meine Freunde steckte ich immer zu wenig ein. Wie besessen war ich von dem unstillbaren Verlangen, Schmerz zu spüren. Doch da war nichts. Sie wehrten sich kaum. Weil sie nicht fassen konnten, was ich ihnen antat? Oder konnten mir ihre ungeübten Schläge nichts mehr anhaben? Die Züchtigungen des Priesters machten sich bezahlt. Meine eigene Schlagtechnik hatte sich durch den vielen Anschauungsunterricht immens verbessert. Vielleicht war es aber auch Satan, der mir zur Seite stand. Mich stark und unverwundbar machte. Jedenfalls war ich immer wie in Trance, sobald ich den ersten Schlag getan hatte. Ich verwandelte mich in ein Monster, vor dem ich mich selbst fürchtete. Mein sinnloser Kampf gegen das Leben – um zu überleben.

Ich wusste nicht mehr, wohin ich gehörte. Manchmal fühlte ich mich zu den Satanisten hingezogen, dann wieder übermannte mich die Loyalität zu meinen Freunden von früher. Mehrmals versuchte ich – wenn ich mich unbeobachtet fühlte – mich bei meinen »Opfern« zu entschuldigen. Erklärungen abzugeben, die sogar mir belanglos, unglaubwürdig und abgedroschen erschienen. »Ich weiß nicht, was über mich gekommen ist ...« – »Zu viel Alkohol im Blut ...« – »Ich war halt schlecht drauf ...« Erbärmlich!

Sie bedachten mich mit misstrauischen Blicken, kehrten mir den Rücken zu und ließen mich stehen. Wenn sie mich wenigstens angebrüllt hätten oder auf mich losgegangen wären! Ich hätte mich bestimmt nicht gewehrt. Aber nicht mal das war ich ihnen mehr wert. Nach und nach sprach es sich herum: »Der Lukas ist verrückt geworden, total gewalttätig und unberechenbar.«

Und so wandten sich mit der Zeit auch die Leute von mir ab, die bisher verschont geblieben waren. Die Sekte hatte ihr Ziel erreicht: Ich hatte keine Freunde mehr. Was dieser Verlust für mich bedeutete, merkte ich erst viel später: Freundschaft heißt Zuneigung, Anteilnahme, Zusammengehörigkeit, Vertrautheit. Keine Freunde, keine Hilfe in der Not. Niemand, an den man sich wenden kann, nur Isolation, Einsamkeit und – meine Glaubensbrüder. Das war das eigentliche Ziel dieser Abhärtungsübungen, aber das erkannte ich damals nicht. In meinem Leben gab es nur noch eine Devise: Führe deine Befehle aus oder stirb – aber sterben wollte ich nicht. Noch nicht.

Die zerschlagenen, zugerichteten Gesichter meiner Freunde blieben in meiner Erinnerung und meinem Gedächtnis haften. Sie mischten sich unter die Schar der Toten in meinem Albtraum. Im Traum wurden auch sie von dem Blut besudelt, das dieser gefährlich rote Himmel vergoss und in dem mich der Mann mit dem Messer immer und immer wieder schweißüberströmt aus dem Schlaf riss.

6

Im Heim bekam ich Schwierigkeiten, weil ich morgens ständig verschlief. Wie hätte ich ihnen erklären sollen, dass mir die Angst vor diesem und anderen Träumen den Schlaf raubte, dass ich nächtelang durch das Haus geisterte, treppauf, treppab, in den Garten, zurück auf mein Zimmer. Nur nicht die Augen schließen! Nur nicht einschlafen! Gleichzeitig fürchtete ich mich vor dem Schweigen der Nacht. Diese Stille, wenn alles schlief, konnte ich nicht ertragen. Meine Sinne reagierten dann übersensibel: Von überall her glaubte ich Geräusche zu hören, wispernde Stimmen, hin und her huschende Schatten. Waren es Geister? Dämonen? Oder von den Satanisten ausgesandte Späher, die mich überwachen sollten?

Mein einziger Freund und Trostspender in dieser Zeit war der Alkohol. Aber im Heim kam das gar nicht gut an. Mehr und mehr hohle Belehrungen von den Erziehern musste ich einstecken. Auf ihre Art bemühten sie sich natürlich um mich. Mit all ihren pädagogischen Tricks – von verständnisvoll bis streng – versuchten sie, an mich heranzukommen. Sollte ich die Wahrheit sagen? Mich wenigstens einem von ihnen anvertrauen? Würden sie mir überhaupt glauben? Niemals! Und so verstrickte ich mich immer tiefer in ein Netz aus Lügen, Ablehnung und Verschlossenheit.

Ich dachte sogar an Selbstmord. Immer öfter, aber das Damoklesschwert hing bereits zu tief über mir. »Natürlich«, hörte ich in einem unserer Lehrabende, »gibt es immer wieder Dummköpfe, die meinen, sich den Wünschen Satans durch Selbstmord entziehen zu können...« Ich bin sicher, der Priester lächelte, während er uns mit leiser Stimme die Konsequenzen darlegte: »... Doch Selbstmord muss bestraft werden. So will es Satan. Ihr meint, einen Toten kann man nicht mehr bestrafen? Aber ja doch. Ein Mitglied seiner Familie, mit großer Wahrscheinlichkeit jemand, der dem Selbstmörder besonders nahe stand, muss dafür auf dem Opfertisch sterben. Und ihr könnt sicher sein, dass es ein langsamer, qualvoller Tod sein wird.« Mein letzter Ausweg, meine letzte Zuflucht, der Freitod, war zunichte gemacht.

Trotzdem berührten mich seine Ausführungen kaum: Was ich hörte, war unabänderlich, ich nahm es hin. Würden sie sich meine Schwester Sylvia holen, oder etwa gar Daniel, ihren damals achtzehn Monate alten Sohn? Die kriegten alles fertig.

Peter hatte mich inzwischen davon überzeugt, die »Geschichten«, die wir an den Lehrabenden hörten, durchaus und unbedingt ernst zu nehmen. Danach standen mir oft die Haare zu Berge. Denn nicht nur vom für Satanisten sinnlosen Selbstmord war da die Rede, sondern auch oft und ausgiebig von Blutopfern. Ich war also vorbereitet, wenigstens theoretisch: auf die Nacht, in der ich erstmals Zeuge eines Babyopfers wurde.

Schon bei der Ankunft in der Halle hörten wir die gellenden Schreie einer Frau. Immer wieder, doch von langen Pausen unterbrochen. Noch wusste ich nicht, was da vor sich ging. Doch der Priester klärte uns bald auf und informierte die versammelte Gemeinde über das bevorstehende freudige Ereignis: Bei einer Satanistin, die im Nebenzimmer momentan von zwei gruppeninternen Ärzten betreut wurde, hätten an diesem Morgen die Wehen eingesetzt. »Und Satan wünscht die Opferung noch heute«, verkündete der Priester entschieden. Er eröffnete die Messe, und wir beteten drei Stunden lang. Unser Gemurmel wurde immer wieder von den gequälten Schreien der werdenden Mutter übertönt. So schauderhaft wie ihr Brüllen klang, musste sie starke Schmerzen haben. Ich glaube kaum, dass die beiden Ärzte ihr Linderung verschafften.

Immer öfter schrie sie und lauter – dann war es endlich so weit: Einer der Jünger kam mit einem winzigen, nackten Säugling im Arm aus dem Nebenraum und übergab ihn dem Priester. Krampfhaft hielt ich meine Augen auf den Priester gerichtet und bemühte mich dabei, nichts zu sehen. Ich wollte nicht sehen, was sie taten. Die frisch entbundene Mutter schleppte sich von ihrem Lager in die Halle, um an der Zeremonie teilzunehmen. Ihre Gleichgültigkeit war nicht von dieser Welt. Erschreckend für mich, für die anderen wohl beeindruckend. Schließlich hatte sie gerade ein Kind zur Welt gebracht.

Aber sie unterdrückte ihre Gefühle – welch ein Liebesbeweis für Satan! Und um Satan noch näher zu kommen, erlaubte man ihr, das winzige Herz ihres Kindes selbst zu essen.

Kindstötungen standen mit ziemlicher Regelmäßigkeit auf dem Programm. Darüber nachzudenken oder gar darüber zu sprechen, habe ich mir nie erlaubt. Es war egal. Es ist egal! Es ist Satans Gesetz: Jedes innerhalb der Sekte gezeugte Kind muss Satan geopfert werden. Der Satanist gehorcht. Nur die Frauen, die vom Satanspriester geschwängert werden, dürfen ihr Baby behalten. Sie werden zu Teufelskindern erzogen. Man hat uns erzählt, dass all die anderen Kinder mit einer toten Seele zur Welt kämen – und die mussten geopfert werden. Manche gleich nach der Geburt, andere erst im zarten Alter von drei oder sechs Monaten. Wie es Satan gerade in den Kram passte. Wann immer er es dem Priester befahl. Da war der Gedanke an meinen kleinen Neffen Daniel gar nicht so abwegig gewesen. Sie hätten keinerlei Skrupel, ihn zu töten, sollte ich je Selbstmord begehen.

Schon deshalb musste ich weiterleben! Und weiterhin bedingungslos gehorchen. Der Priester hatte sein Ziel erreicht: mich absolut gefügig zu machen, willenlos, Satan und seiner Meute ausgeliefert. Die Gehirnwäsche hatte stattgefunden, ohne dass ich es bemerkt hatte. Innerlich vereinsamte ich immer mehr. Was mir blieb, waren meine Glaubensbrüder, Satan, mein Herr und Meister, und die Priester, die meinen Geist mehr und mehr verwirrten, alles Gute in mir abtöteten, so wie ich meine Freunde »abtöten« musste.

Meine restlichen Emotionen fuhren mit mir Achterbahn, von der schuldbeladenen Depression ins unbeschreibliche Glücksgefühl und zurück. Einen Moment fand ich es toll, dass mir Arbeitskollegen und Heimbewohner aus dem Weg gingen. Geringschätzig bemitleidete ich ihre Unwissenheit, hielt mich für was Besseres. Stark, cool und unantastbar. Dann wieder lief ich tagelang mit dieser inneren Leere herum, hoffnungslos ausgelaugt wie ein Zombie. In diesem Zustand drang nichts und niemand zu mir durch, als wäre ich innerlich schon tot. Es war entsetzlich, aber ich konnte nichts dagegen tun. Es gab nur eine Person in dieser Zeit, die ich noch bewusst wahrnahm: Natalie. Wir kannten uns schon lange, waren früher unzertrennliche Kumpels gewesen. Sie war der einzige Mensch, mit dem ich über all meine großen und kleinen Probleme, Sorgen, Ängste und Nöte reden konnte. Es war eine dieser so seltenen innigen, aber platonischen Beziehungen zwischen Mann und Frau. Eigentlich hätten wir auch gerne miteinander geschlafen, doch die Angst, damit unsere Freundschaft zu zerstören, hielt uns davon ab.

Nachdem ich der Sekte beigetreten war, trafen wir uns nur noch selten. Es fiel mir so schwer, ihr gegenüber ein Geheimnis zu bewahren. Die Treffen mit ihr wurden für mich zur Qual, denn ich hätte sie so gerne eingeweiht. Ihr mein Herz ausgeschüttet. Einmal nur darüber reden können. Aber ich wollte sie nicht gefährden. Wahrscheinlich hätte sie die Hoffnungslosigkeit meiner Lage nicht erfasst. Wie denn auch? Beschreiben kann man diese Dinge nicht. Man muss sie schon erlebt haben. Bestimmt hätte sie nach einer Möglichkeit gesucht, mir zu helfen. Und wäre dabei umgekommen. Also schwieg ich weiter, zog mich zurück. Jedes Mal, wenn wir uns sahen, bangte ich um ihre Sicherheit. Auf dem Weg zu ihr nahm ich große Umwege in Kauf, versuchte etwaige Verfolger abzuschütteln. Wir waren wie Bruder und Schwester, doch ich konnte nicht ausschließen, dass meine Beobachter sie versehentlich doch für meine Freundin hielten. Dann würden sie mich zwingen, Natalie mit zu den Messen zu bringen … nicht auszudenken!

Natürlich bemerkte sie die Veränderung in mir. Meine Gefühlsschwankungen, meine Unkonzentriertheit im Gespräch, meine Ungeduld und Hitzköpfigkeit. Auch wenn wir uns immer seltener sahen – ich schaffte es nie, mich wenigstens in diesen mickrigen zwei bis drei Stunden zu beherrschen. Natalie bekam dann immer so traurige Augen. Sie versuchte, in meinem Gesicht zu lesen, während ich ihr ein ums andere Mal eindringlichst, aber scheinheilig versicherte, dass alles in Ordnung sei. Und wenn sie mich dann zum Abschied in den Arm nahm und ganz fest drückte, dann fühlte ich mich besser, zumindest für eine Weile.

7

Auch Peter merkte, dass es mir oft nicht gut ging. Er versuchte, mich aus meinen Depressionen zu reißen, indem er mir von einem großen Fest im Juli erzählte. Es findet jedes Jahr zur Sonnenwende statt, einem der höchsten Feiertage der Satanisten. »Sämtliche Gruppen unseres Vereins aus ganz Deutschland treffen sich da. Und es wird eine Orgie geben, bei der du alle Weiber knallen kannst, die du haben willst«, schwärmte er.

Ich fand das eher abstoßend. Was Mädchen anbelangt, war ich immer noch eigen. Auch wenn mir meine Sexpartnerin nichts bedeutete (*im Satanismus gibt es keine Liebe, nur Hass*), wollte ich sie nicht mit anderen Männern teilen. Schon der Gedanke, dass da am gleichen Abend schon einer oder gar mehrere vor mir auf der Frau drauf waren, ließ mich angeekelt abdrehen. Und wie sollte ich da noch einen hochkriegen?

Nichts hatte man noch für sich selbst. Nichts blieb einem übrig, keine eigenen Gedanken, keine unbeobachteten Wege. Warum sollte da der Sex noch frei sein oder eventuell Spaß machen? Und Peter schlug genau in diese Kerbe: »Zick nicht rum, Alter. Du musst es sowieso tun, ob du willst oder nicht.«

Was da sonst noch so abging, wusste ich nicht. Also bedrängte ich Peter. Ich wollte mehr erfahren. Neugierig war ich ja schon noch. Schließlich ließ sich Peter herab, ein wenig von diesem geheimnisvollen Fest zu erzählen. Auf einem großen Friedhof sollte es stattfinden, und der Höhepunkt würde eine große, feierliche Opferung sein. Und wir Neulinge könnten uns auf ein paar nette Überraschungen gefasst machen. Was das wohl wieder sein sollte? Bis zu diesem Zeitpunkt hatte ich noch keine positive Überraschung mit den Satanisten erlebt. Mir schwante Fürchterliches nach altbekanntem Muster. »Werde ich es überstehen?« – »Klar, du bist ja nicht zum Spaß Satanist«, gab er mir pampig zurück.

Natürlich. Was hatte ich erwartet? Warum fragte ich eigentlich immer noch und immer wieder so unsicher und hoffnungsvoll? Ganz tief in mir wünschte ich wohl, eine freundliche, beruhigende Antwort zu bekommen. Was Schönes, auf das ich mich wirklich ehrlich und herzlich hätte freuen können. Und plötzlich war er wieder da, dieser unbändige Wunsch nach Wärme und Geborgenheit. Weit fort wollte ich sein, in einer Welt, in der es keine Satanisten gab. Nichts Böses, sondern nur Alltägliches. Arbeiten, Essen, Schlafen. Und eine liebe Freundin. Zum Umarmen, Festhalten, Lachen und Glücklichsein. Aber es war eben nur ein Traum, ein Wunsch. Ich sehnte ihn herbei, und ich hasste ihn. Weil ich doch wusste, dass er für Lukas, den Satanisten, nie Wirklichkeit werden konnte.

Als mich Peter am Abend des 7. Juli zum Fest abholte, war er total aufgedreht, außer sich und voller Vorfreude. Er konnte da völlig unbeschwert drangehen. Schließlich war er auch kein Neuling, brauchte sich nicht, wie ich, den Kopf über unliebsame Überraschungen zu zermartern. Die Angst vor dem Ungewissen schnürte mir die Kehle zu. »Werde ich diese Nacht überstehen?« Diese Frage hatte sich in meinen Gehirnwindungen festgefressen, sie beherrschte mein ganzes Denken.

Auf dem Friedhof angekommen, traute ich meinen Augen kaum. Knisternde und knackende Lagerfeuer tauchten das schaurige Gelände in rötlich warme Behaglichkeit – das hatte was von Pfadfinderromantik. Die dürren Silhouetten der Kreuze und die wuchtigen Schatten der Grabsteine wiegten sich im flackernden Feuerschein. Dahinter, tiefer im Dunkeln, tanzten Hunderte von kleinen, hellen Lichtern. Als wir näher kamen, erkannte ich eine offene Gruft, umrahmt von unzähligen schwarzen Kerzen. Die einzelnen Flämmchen vermischten sich zu einem gleißenden, züngelnden Lichtkreis, etwa eine Handbreit über dem Boden. »Fast wie ein Heiligenschein«, dachte ich. Die Inschriftentafel der Gruft war mit einem schwarzen Tuch abgedeckt, davor stand – groß und imposant – ein weißes Satanskreuz aus Holz.

Langsam füllten sich die engen Wege zwischen den Gräbern mit schemenhaften Gestalten. Bald herrschte geschäftiges Treiben. Peter hatte mir zwar prophezeit, dass sich zu diesem Fest Glaubensbrüder aus dem ganzen Bundesgebiet einfinden würden, aber mit so vielen Teilnehmern hatte ich nicht gerechnet. Vor allem, da zu diesem besonderen Anlass nur Jünger, Priester und ihre Schergen zugelassen waren. Ich hatte mir nicht träumen lassen, dass es so viele davon gab. Dabei hatte ich noch keinen Priester erspäht. Dafür aber Frauen, jede Menge hübsche Frauen.

Zum ersten Mal wurde mir halbwegs bewusst, wie stark unsere Organisation allein in Deutschland war. Grob geschätzt liefen da bestimmt an die 250 Kuttenträger herum. Dazu kamen dann noch die Frauen. Jede trug einen bodenlangen, wallenden Umhang aus schwarzem Samt. Eigentlich war es nicht mehr als ein großes Stück Stoff, das mit einer Kordel gerafft und um den Hals gebunden wurde. Darunter waren sie nackt. Und keine der Frauen machte sich die Mühe, den bei jeder Bewegung vorn auseinander fallenden Umhang zusammenzuhalten. Sie kokettierten geradezu mit ihren festen Brüsten, ihren prallen Schenkeln und ihrer zarten Haut, bemalt mit satanischen Symbolen aus Blut. In der Dunkelheit stach einem das weiße Fleisch geradezu ins Auge. Aufreizend? Unter anderen Umständen vielleicht.

Wie dieses weiß Gott nicht gerade leise und durch die Feuer weithin sichtbare Fest auf dem öffentlichen Hauptfriedhof ablaufen konnte, ohne dass die Polizei eingriff, ist mir bis heute schleierhaft. Ich vermute, dass man den Friedhofswärter bestochen hatte. Schließlich bedarf eine Zusammenkunft dieser Größenordnung einiger Vorbereitungen. Man hatte sogar die tonnenschwere Tischplatte unseres Altars mit den eingelassenen Eisenfesseln aus der Fabrikhalle hierhergeschafft. Sie lag über der offenen Gruft.

Das Eintreffen der Priester als geschlossene Gruppe war das Zeichen für den Beginn der Feierlichkeiten. Es waren sogar Amerikaner dabei. Sie unterschieden sich von den deutschen Priestern durch ein aufgemaltes Pentagramm auf ihrer Kutte. Peter wies mir meinen Platz zwischen den anderen Neulingen zu. Alles war hervorragend durchorganisiert. Vorne an der Gruft bildeten die Priester einen Halbkreis, wir Jünger schlossen diesen auf der gegenüberliegenden Seite. In der ersten Reihe standen die Jünger von hohem Rang, ich in der fünften und letzten Reihe. Die Frauen waren verschwunden.

Drei Stunden lang quälten uns die Priester, zumindest mich: endlose Gebete, Hochpreisungen und Belehrungen – ich konnte nicht mehr stehen! Dann endlich wurde ein Ziegenbock vorgeführt. Erleichtert sank ich, gemeinsam mit all den anderen, auf die Knie. Die Opferung eines Ziegenbocks hatte ich bis dahin noch nicht erlebt. Zusammen mit dem Steinbock ist er Satans Lieblingstier. Er nimmt oft deren Gestalt an. Deshalb soll das Opferblut dieser Tiere auch besonders starke, magische Kräfte verleihen.

»Sehet die reine Seele, die unschuldige Seele«, hob der Chor der Priester an, »sehet, was er uns geschenkt hat! Preiset Satan!« Jetzt trat ein Priester vor, um das Opferritual auszuführen. Während er dem Ziegenbock das Herz herausschnitt, richtete er nochmals das Wort an uns Jünger. »Durch den Genuss seines Blutes werdet ihr Satan in euch fühlen. Die Kraft, die dieses Tier euch gibt, ist gleich der Macht Satans. Dieses Blut ist der reine Geist des Bösen. Und er wird den guten Geist in euch töten.

Hochpreiset Satan! Er lebe mit uns! Wir leben in ihm!«

Es dauerte lange, bis die vielen Kelche für die verschiedenen Gruppen mit dem Blut des Ziegenbocks gefüllt waren. Noch länger, bis ich endlich an der Reihe war. Ich trank einen Schluck und reichte den Kelch weiter. Gespannt horchte ich in mich hinein und wartete auf diesen besonderen Kraftschub, auf irgendeine Veränderung in mir. Doch ich spürte nichts. Einfach nichts.

Gelangweilt registrierte ich den nächsten Programmpunkt: eine Ansprache. Jetzt war ein Ami-Priester dran. Er hielt ein flammendes Plädoyer für die wachsende, weltumspannende Macht der Satanisten. Klang ganz wie ein Politiker, der Wahlversprechungen unters Volk bringt. Er pries die internationale Zusammenarbeit der satanischen Gruppen unserer Organisation, die nur ein Ziel hätten: die Weltherrschaft unserer »dunklen Volksgemeinschaft«. Begeistert berichtete er von einflussreichen Persönlichkeiten aus dem öffentlichen Leben, aus Politik und Wirtschaft, die sich inzwischen unserer Ideologie angeschlossen hätten. Er nannte sogar ihre Namen, aber ich kannte keinen davon. Trotzdem war ich beeindruckt. Da hatte ich wohl doch eine großartige Zukunft vor mir – wenn ich es bis zum Priester brachte. Und dafür wollte ich mich von nun an noch mehr ins Zeug legen.

Die Worte des Redners plätscherten an mir vorbei, die laue Nachtluft wehte mir den modrigen Geruch der offenen Gruft um die Nase ... wenn ich bloß nicht mehr stillstehen müsste! Wie lange würde das noch dauern und vor allem: Welche Qualen standen mir noch bevor? Immer wieder musste ich an die von Peter angekündigten »netten Überraschungen« denken. Vielleicht hatte er damit auch die Frauen gemeint. Sie als Überraschung für uns. Die, die ich gesehen hatte, sahen wirklich sehr gut aus. Doch trotz ihrer so offen zur Schau gestellten Reize verspürte ich kein wildes Verlangen nach anonymem Sex. Und wie sollte das überhaupt ablaufen? Würde ich es vor den Augen aller Anwesenden tun müssen? Würde ich es überhaupt hinkriegen? Und wenn nicht? ... Eine Bewegung unter den Jüngern riss mich aus meinen Gedanken. Der Vortrag war beendet.

Die Priester hatten auf der linken und rechten Seite der Gruft Aufstellung genommen. Einer der deutschen Priester trat vor. Er trug kein Pentagramm auf der Kutte. Er stand da mit ausgebreiteten Armen und schien auf etwas zu warten. Zwei Dämonen des Herrn, wie man die Schergen auch bezeichnet, führten eine junge Frau im schwarzen Umhang zum Altar. Mit ausgestreckten Armen empfing sie der Priester. Er nahm ihr das Cape ab. Zum Vorschein kam ein makelloser, nackter Körper. Ihre Haut war nicht bemalt.

Langsam, ganz langsam drehte sie sich zu uns Jüngern um. Lange, blonde Haare fielen über ihre üppigen Brüste bis zum Bauchnabel. Nur ihr hübsches Gesicht machte mich stutzig. Es war so leblos, ja versteinert. Wie in Trance legte sie sich mit dem Rücken auf die Opferplatte. Da hörte ich auch schon die Ketten rasseln. Mir wurde mulmig: Die beiden Dämonen zwängten ihre zarten Hand- und Fußgelenke zwischen die Eisenfesseln. Unüberhörbar und bedrohlich hallte das Geräusch der einrastenden Eisenbande durch die Sommernacht. Klack, klack, – klack, klack! Unglaublich, aber sie schien das alles aus freien Stücken zu tun. Kein Laut kam über ihre Lippen, sie machte keinen erkennbaren Versuch, sich zu wehren. Ihre Miene war ruhig und gefasst, ihre Atmung flach und gleichmäßig. Ein freiwilliger Dienst an Satan? Oder war sie voll gepumpt mit Drogen? Ich werde es nie wissen.

In meinem Kopf drehte sich alles. Die konnten doch nicht … sie umbringen? – Nein, das würden sie nicht wagen. Mir wurde heiß, ich spürte, wie mir die Schweißperlen über den Rücken liefen. Das halte ich nicht durch! »Ich geh jetzt«, rutschte es mir heraus. Der Typ neben mir flüsterte: »Wenn du das tust, bringen sie dich um.« Das saß. Die Angst um mein eigenes Leben war stärker als der Drang, wegzulaufen.

Ich blieb. Ich schaute weiter zu. Weiß schimmerte die Haut des Mädchens im Mondlicht. Doch nicht mehr lange: Der Priester verbrauchte das restliche Blut des Ziegenbocks auf ihrem Körper. Langsam, ja zärtlich, zeichnete er Pentagramme um ihre Brustwarzen und das Kreuz der Satanisten auf ihre Stirn. Dann trat er einen Schritt zurück und begutachtete sein Meisterwerk. Es war totenstill. Entsetzliche Anspannung, ich vergaß zu atmen.

Überfallartig stieß der Priester einen animalischen Schrei aus und stürzte sich auf die bewegungslose Frau. Mit beiden Händen griff er seine Kutte, schob sie hoch und fummelte ungeduldig seinen steifen

Penis hervor. Mit fanatischer Begierde drang er in sie ein. Ich atmete erleichtert auf. Meine Angst, Zeuge eines Menschenmassakers zu werden, war unbegründet gewesen. Außerdem hatte Peter auch nur von einer Orgie gesprochen. Sex ohne Liebe. Solange ich nur zusehen musste, war das in Ordnung. Die junge Frau hatte bestimmt gewusst, was auf sie zukam, beruhigte ich mich. Wie ein Tier rammelte der Priester wild auf dem bewegungslosen weiblichen Körper herum. Es waren höchstens ein paar Sekunden vergangen, als er sich mit triumphalem Aufstöhnen in ihr entleerte. Dann waren die anderen dran.

Ein Priester nach dem anderen stieg über sie, bestimmt zwanzig Kerle. Die junge Frau hing regungslos in ihren Fesseln. Stumpfsinnig starrte sie in den Nachthimmel, als ginge sie das alles gar nichts an. Als wäre es nicht ihr Körper, der da vergewaltigt, benutzt und begrabscht wurde. Warum mussten wir zusehen? Sollte das etwa anregend sein? Ich fand es ekelig. Und ich schämte mich.

Endlich hatte auch der letzte Priester seinen Samen in sie hineingepumpt. Doch Schluss war noch lange nicht: Der erste Kuttenträger trat nochmals an sie heran. Er stellte sich ans Kopfende des Altars, uns zugewandt. Die junge Frau lag noch immer völlig apathisch auf dem kalten, kahlen Opferstein. Der Priester stand hinter ihr, sie konnte ihn nicht sehen. Wieder breitete er die Arme weit aus. Seine Stimme klang euphorisch und rau, als er hervorstieß: »Nimm diese, unsere Kraft mit dir ins Reich der Finsternis, zu Satan, unserem Herrn!« Sein Arm holte aus, und mit unbändiger Wucht stieß er ihr einen gebogenen Dolch zwischen die Rippen, den er zuvor in seiner Rechten verborgen gehalten hatte. Mir blieb fast das Herz stehen. Mir wurde schwindlig, schlecht, ich hörte mein Blut durch meinen Kopf rauschen. Meine Augen suchten Zuflucht auf den Kieselsteinen unter meinen Füßen. Es war so still. Kein Schrei, kein Laut, kein Hauch. Weiter drüben in meiner Reihe war einer umgefallen.

Das war also die angedrohte Überraschung! Sie war ihnen gelungen. Aber ich wollte nicht mehr zuschauen. Ich konnte nicht mehr. Aus. Ende. Krampfhaft heftete ich meinen Blick auf den Boden unter mir – irgendwo musste ich mich doch festhalten … ein schweres Vergehen. *Das Augenmerk des Satanisten während der Messe gilt ausschließlich dem Priester.* Hinschauen sollten wir, damit wir hart würden. Die Rituale waren das Training dafür. Wer seine Augen abwendet, ist ein Weichling, eine feige Memme und zweifelt Satans Lehre an. Außerdem wollen sie damit vermeiden, dass man andere Gruppenmitglieder beobachtet. Eventuell doch jemanden erkennt. Schon ein kurzer Augenblick der Unaufmerksamkeit wird hart bestraft. Und obwohl ich solche Züchtigungen schon oft erlebt hatte, brachte ich es nicht fertig, meine Augen wieder dem Altar zuzuwenden. Nur mit unmenschlicher Kraftanstrengung konnte ich mich weiter aufrecht halten. Meine Beine zitterten, Kälte und Hitzeschauer jagten durch meinen Körper, mein Mund war ausgetrocknet, und in meinem Hals saß ein Kloß, an dem ich zu ersticken drohte.

Wieder kam mir der Unbekannte neben mir zu Hilfe: »Dein Priester starrt schon die ganze Zeit hierher«, flüsterte er. Widerwillig hob ich den Kopf. Der Altar war leer, nur die blutverschmierte Platte erinnerte noch an den Mord, der dort gerade stattgefunden hatte. Es war Menschenblut, das ich vom Altar tropfen sah, Menschenblut, das da im Boden versickerte. Es war eine rituelle Tötung, eine heilige Handlung, versuchte ich mir einzureden. Aber in meinem Inneren hämmerte es: Mord! Mord! Das war Mord!

Die Morgendämmerung kroch grau und müde über die Büsche und Bäume um uns herum. Jetzt kamen die Frauen zurück. Zuerst mischten sie sich unter die Priester, die sich auch gleich gierig über die Mädchen hermachten. Ich rang um Fassung. Jetzt sollte ich es auch noch mit einer Frau treiben? Ausgelaugt fühlte ich mich und fertig. Vielleicht konnte ich mich in diesem heillosen Durcheinander von sich paarenden Menschenleibern doch unbemerkt aus dem Staub machen.

Verstohlen sah ich mich um, und mein Blick blieb hängen an einem Paar stechender, bohrender Augen: Mein Priester hatte mich im Visier. Er fixierte mich, abwartend, lauernd – wie ein Raubtier auf dem Sprung. Erbarmungslos würde er mich vernichten, sollte ich nicht tun, was man von mir erwartete. Wie ein hypnotisiertes Kaninchen reagierte ich auf seinen stummen Befehl. Ich blieb stehen, sah mich unsicher um.

Und plötzlich war da diese helle Stimme: »Preise Satan und nimm die Kraft!« Ich fuhr herum, meine

Augen saugten sich fest an einem hübschen, kleinen Busen. Ins Gesicht sah ich ihr nicht. Heute weiß ich nicht mehr, ob sie blond oder schwarzhaarig war, groß oder klein. Ich wollte es nicht wissen. Irgendeine Frau eben. Namenlos, gefühllos, Satan treu ergeben. Meine Arme machten sich selbstständig. Sie verschwanden unter ihrem halb offenen Umhang. Ihr Körper war kalt. Eiskalt. Ich riss sie zu Boden, Kutte hoch, Hose auf und ab ging die Post. Es war schnell vorbei. Die Kleine wollte weitermachen, aber ich riss mich los. Meine Pflicht hatte ich getan, jetzt wollte ich nur noch weg.

Benommen im Kopf und mit Blei in den Beinen schleppte ich mich zurück zu Peters Auto. Welcher Teufel hat mich da gerade geritten? Mein Schwanz hatte sich selbstständig gemacht. Als die Kleine vor mir stand, pochte er plötzlich hart und fordernd gegen meine zu eng gewordenen Jeans. Es war pure Gier, animalische Geilheit. Ein unbändiger Zwang, mich abzureagieren, hatte mich übermannt. Wie ein Tier war ich über sie hergefallen. Jetzt, wo mein Verstand wieder funktionierte, schüttelte es mich.

Ob es fünf Minuten oder eine Stunde dauerte, bis Peter endlich zum Auto nachkam, weiß ich nicht. Ich war am Ende. Die Welt war für mich zusammengebrochen. Nichts hatte noch Bestand. Wie auch? Mord! Und Vergewaltigungen! Mein Kopf verweigerte jeden klaren Gedanken. Wie ein leerer Sack lehnte ich an dem Auto, starrte stumpf vor mich hin, ohne wirklich etwas zu sehen.

Peter war so überdreht und aufgekratzt, dass er mich bis ins Heim vor die Haustür brachte. Seine plumpen Sprüche und kumpelhaften Anbiedereien gingen mir tierisch auf die Nerven. Ich schloss demonstrativ die Augen, sein Geschwafel prallte an der Mauer ab, die ich im Geiste um mich errichtet hatte. Im Heim angekommen, riss ich mir die Kleider vom Leib und stellte mich unter die Dusche. Das heiße Wasser belebte mich, mein Gehirn taute auf. Und meine Erinnerung. Hätte ich mich doch nur gleich hingelegt! Denn jetzt kamen die Bilder dieser Nacht zurück.

Vor meinem inneren Auge erschien das wunderschöne Gesicht der ermordeten Frau, ihre Hilflosigkeit wurde mir erst jetzt bewusst. Quälte mich. Dann erschien mir der vermummte Kopf des Priesters. Eine Teufelsfratze schob sich über sein Gesicht, genau in dem Moment, als er den Dolch herniedersausen ließ … Wieder durchlitt ich diese Stille, in der alles abgelaufen war. Es war so unbegreiflich! So grausam. So unmenschlich. Diese entsetzlichen Bilder drohten mir den Kopf zu sprengen. Das heiße Wasser prasselte auf mich nieder, und mir blieb nichts, als in ohnmächtiger Wut und Verzweiflung mit den Fäusten gegen die Badezimmerkacheln zu hämmern. Wäre Peter jetzt da gewesen, hätte ich ihn mit meinen bloßen Händen erwürgt.

»Ich hasse ihn, ich hasse den Priester, ich hasse diese ganze abartige Meute!« Es war zu spät, ich hatte einen Mord miterlebt und nichts dagegen getan. Sollte ich zur Polizei …? Sie würden mich wahrscheinlich für verrückt erklären und nach Hause schicken. Oder gar in eine Anstalt einweisen. Ich hatte keinen Beweis, wusste nicht, wer die Frau war, wusste nicht, was sie mit ihren Überresten gemacht hatten. Bei diesem Gedanken musste ich mich übergeben. Ich sah zu, wie der Strahl der Dusche alles wegspülte. So, wie sie wahrscheinlich weggespült worden war. Gehört hatte ich genug über die Methoden zur Beseitigung lästiger Leichenteile. Von Metzgern zerstückelt, von Säuren aufgelöst.

Irgendwann fingen meine Mitbewohner an, gegen die Tür zu trommeln. Da wusste ich, dass es Morgen war. Endlich konnte ich zur Arbeit gehen und dieses schreckliche Erlebnis verdrängen. Meine Gedanken ausschalten wie einen Fernseher und mich von meiner so herrlich normalen Umgebung berieseln lassen. Ich würde einen ganz gewöhnlichen Tag verbringen.

8

Mit eisernem Willen und Selbstbeherrschung über-
stand ich die nächsten Tage. Die Nächte dagegen waren unerträglich. Meine Augen waren stark gerötet
und die Lider angeschwollen, weil ich kaum schlief.
Rastlos durchstreifte ich die Straßen und Gassen
meiner Stadt, die kühle Nachtluft pustete mein Gehirn wenigstens für eine Weile leer. Sie vertrieb all
die schrecklichen Bilder und Gedanken, die sich be-
harrlich in meinem Kopf festgefressen hatten.

Dann quatschte mich auch noch Dieter, mein Zim-
mernachbar, an: »Ey, Alter, haste se nicht mehr alle?
du schlägst im Schlaf dauernd gegen die Wand, jede
Nacht weckst du mich auf!« Dann erzählte er, dass er
versucht hatte, mich wachzurütteln. »Du hast unver-
ständliches Zeug gemurmelt. Deine Stimme klang so
seltsam …« Dabei sah er mich misstrauisch von der
Seite an: »… so ein hohles, heiseres Wispern. Und
dein Gesicht war so bleich und unbeweglich, deine
Augen fest zugekniffen. Ich hab dich geschüttelt,
dich angeschrien und dir ein paar gescheuert. Aber
du hast überhaupt nicht reagiert – als wärest du in
einer anderen Welt.« Er suchte nach Worten: »Kamst
mir vor wie ein atmender Toter!«

Dieses Erlebnis war Dieter sichtlich an die Nieren
gegangen. Er schaute mir forschend in die Augen,

konnte meinem Blick jedoch nicht standhalten. Als wäre ich ihm unheimlich. Doch ich war inzwischen viel zu abgebrüht, um mir meinen Schreck noch anmerken zu lassen. »Ach ja, wenn ich zu viel getrunken habe, dann schlaf ich eben wie ein Toter«, wiegelte ich ab.

An diesem Abend rückte ich mein Bett in die Mitte des Zimmers. Wer weiß, vielleicht redete ich beim nächsten Mal deutlicher, und wenn Dieter wieder zu mir käme, um mich wachzurütteln … Nicht auszudenken, was passieren würde, wenn ich im Schlaf meine grausigen Erlebnisse preisgäbe.

Um wenigstens ein paar Stunden tief und traumlos zu schlafen, brauchte ich Alkohol. Ich trank bis zum Umkippen. Leider funktionierte auch das nicht immer. Freitagabend, die Nacht vor der nächsten schwarzen Messe, war besonders schlimm, denn auf mich wartete eine Verabredung mit Mördern. Mit Menschenschlächtern, die morgen auch über mein Leben befinden würden. Denn ich hatte es gewagt, während eines satanischen Rituals zu Boden zu sehen. Das war Verrat an meinem Herrn und Meister. Und nun sollte ich dafür büßen. Morgen. Aber heute konnte ich mich noch betäuben, zuschütten. An die hundertfünfzig Mark habe ich an diesem Abend versoffen. Ein kläglicher Versuch, alles wegzuspülen: meinen Bammel vor dem Priester und die Erinnerung an die abscheuliche Orgie.

Sternhagelvoll stolperte ich nach Hause. Doch kaum war ich allein in meinem Zimmer, kamen die Geister. Wahnvorstellungen. Und der Suff tat ein Übriges. Ich lag auf meinem Bett, und alles drehte sich. Aus dem rotierenden Kreisel in meinem Kopf lösten sich Gestalten. Tote flogen um mich herum. Panisch fuhr ich wieder hoch und riss die Augen auf: Der Spuk war vorbei. Niemand da. Nichts. Dennoch beschlich mich der Eindruck, dass ich nicht allein war. Da war was! Und schlagartig wusste ich: Hier ist irgendwo eine Leiche versteckt! Ich war plötzlich wie besessen von diesem Gedanken. Völlig von Sinnen und von entsetzlicher Angst getrieben durchwühlte ich den Raum. Riss die Schranktür auf – nichts, … sah unter mein Bett – nichts! Keuchend und schnaufend presste ich mich an die Wand in der hintersten Ecke meines Zimmers. Ich hielt den Atem an und horchte in die Stille.

Da war jemand, ich spürte es genau. Ein kalter Hauch, ein leiser Luftzug. »Es« bewegte sich, aber nichts war zu sehen. Die Kälte, der neblige Schatten eines Wesens kam zögernd auf mich zu. Ich fröstelte. Die Frau auf dem Opfertisch? War es die Seele der Ermordeten? Jede Faser in meinem Körper war zum Zerreißen gespannt, Schweiß lief mir über den Rücken, in die Augen, tropfte von meinem Kinn. Was wird jetzt? Was passiert mit mir? In das dumpfe Hämmern meines Pulsschlages hinein mischte sich plötzlich ihre Stimme: »Lukas!«, »Lukas!« … »Warum hast du mir nicht geholfen, Lukas?« Sie klang so traurig und hoffnungslos.

Ich stopfte meine Finger in die Ohren, sie sollte verschwinden, diese Stimme, die wie das Heulen eines Kojoten klang. Doch die Stimme war in meinem Kopf. »Bitte nicht!«, winselte ich. »Wie hätte ich dir denn helfen sollen? Du hast dich doch auch nicht

gewehrt! Ich dachte, du machst das alles freiwillig.«
Verzweifelt schrie ich sie an: »Woher sollte ich denn
wissen, dass sie dich töten würden?« Tränen schossen mir aus den Augen, ich schlug mit dem Kopf gegen die Wand. Sie sollte weggehen, diese Stimme!
Weg, weg, weg!

Ich wollte rennen, doch der Alkohol hatte mir die
Beine gelähmt – oder war es die Gegenwart dieser
hingerichteten Seele? Wie ein nasser Sack fiel ich in
mich zusammen. Meine Körperkraft war verbraucht,
mein Wille zur Gegenwehr erschöpft. Gedankenfrag-
mente bevölkerten meinen Kopf. Welche Macht spielte hier ihr grausames Spiel mit mir? War es Satan, der
mich auf die Probe stellte? Hatte ich etwa doch noch
diese weiche Seite, das von meinem Herrn so ver-
pönte Gewissen? Wenn er mich jetzt wie ein Häufchen Elend in der Ecke kauern sah, würde er wissen, dass ich es nicht wert war, sein Jünger zu sein.
Auch der Priester würde es erfahren. Er wusste immer alles. Warum sollte er nicht einen direkten Draht
zu Satan haben? Nein, nein! Ich werde verrückt! Ich
drehe durch! Hilflos heulte ich vor mich hin.

Am nächsten Morgen wurde ich von ziehenden
Schmerzen unsanft geweckt. Immer noch kauerte
ich verkrampft in meiner Zimmerecke. Eine halbe
Stunde brauchte ich, um meine eingeschlafenen,
blutleeren Glieder wieder strecken und bewegen zu
können. Samstag war es inzwischen. Der Tag der
nächsten Messe. Und der Tag meiner Bestrafung.

Wieder begann die Messe mit lateinischen Lobprei-
sungen Satans. Eine ruhige Stunde mit einlullenden

Formeln. Keine Schrecksekunden. Meine innere Anspannung ließ nach. Wahrscheinlich hatte ich mich umsonst verrückt gemacht. Vielleicht war mein Vergehen ja doch unbemerkt geblieben.

Der Priester unterbrach seine Rede und machte eine ungewöhnlich lange Pause. Stille füllte die Halle, sodass man sogar die brennenden Kerzendochte knistern hörte. »Lukas!« »Felix!« – Unsere Namen durchknallten die Ruhe wie Peitschenhiebe. Verächtlich hatte der Priester sie in den Raum gespuckt. Also doch! Jetzt war ich dran. Betreten und demütig, die Köpfe gesenkt, traten wir vor. Lautstark zählte der Priester die Liste unserer »Vergehen« beim Sonnwendfest auf. Felix gehörte zu den Erbarmungswürdigen, die während der rituellen Tötung ohnmächtig umgekippt waren. »Seid ihr bereit, eure Strafe anzutreten?«

Was sollte die blöde Frage? Hatten wir denn eine Wahl? Sollte ich nein sagen? – Galgenhumor! Natürlich verkniff ich mir jeden Kommentar und nickte ergeben. »Ausziehen«, wurden wir angeherrscht. Splitternackt, nur die Kapuze auf dem Kopf, wurden wir von zwei Dämonen des Herrn in den hinteren Teil der Halle getrieben, der sonst nie genutzt wurde. Es war so erniedrigend: Die Meute hatte ein Spalier gebildet, und wir mussten hindurch. Vorbei an versteinerten Gesichtern und gehässig grinsenden Visagen. Mussten geringschätzige Blicke ertragen. Im hintersten Teil der Halle angekommen, schubsten sie uns in eine unbeleuchtete Ecke. Ich stieß gegen einen Trog, der bis obenhin mit Flüssigkeit gefüllt war. »Rein mit dir«, grunzte der Scherge hinter mir. Säure? Lauge? Wasser mit Piranhas? Ich rechnete mit allem und gehorchte widerwillig.

Es war kein Wasser, in das ich plumpste, sondern eine dickliche Masse, kühl, glitschig und schleimig. Tief war der Bottich nicht. Im Sitzen spürte ich Unebenheiten, qualligweiche Gegenstände, die in der Brühe umherwaberten. Es roch ein bisschen wie Fleisch, das zu lange im Kühlschrank gelegen hat. Schützend legte ich die Hände auf meine Genitalien. »Bloß nicht bewegen«, dachte ich. Immer noch war mir nicht klar, worin ich eigentlich saß.

Felix erging es inzwischen in einem zweiten Trog außerhalb meines Sichtkreises nicht besser. Doch in diesen bangen Minuten hatte ich ihn sowieso total vergessen. Ich hatte mächtige Angst, von irgendetwas angefressen zu werden. Als nichts dergleichen passierte, wurde ich wieder mutiger. Vorsichtig tastete ich den Trog ab. Ich bekam etwas zwischen die Finger, das sich wie ein weicher Schlauch anfühlte. Eine tote Schlange? Ich musste es wissen. Also hob ich es heraus und versuchte, dieses Etwas im Halbdunkel zu betrachten. Doch das gelang mir nicht so leicht: Es war so glitschig und schleimig, dass es mir aus den Fingern rutschte. Jetzt stand der Priester neben mir und säuselte: »Sieh es dir nur gut an. Das ist der Darm eines Abtrünnigen.«

Ich kam gar nicht auf die Idee, dass das wieder eine ihrer Psychofoltern sein könnte, wie damals, als mich der vermeintliche Zug überrollt hatte. Ich dachte nur eines: Eingeweide! Menschenblut und Eingeweide! Wie von der Tarantel gestochen, fuhr ich hoch und wollte abhauen. Aber nichts da: Ein

Scherge stand schon hinter mir. Brutal drückte er mich zurück in die Wanne, riss mir die Kapuze vom Kopf und tauchte mich unter. Prustend, würgend und spuckend kam ich wieder an die Oberfläche. Mein Körper war von Blut besudelt, in meinem Haaren klebten die Fetzen von vergangenen Menschenleibern. Mein Magen rebellierte. Mit einem heftigen Schwall erbrach ich meinen gesamten Mageninhalt in die Brühe. Kaum hatte ich Zeit, nach Luft zu schnappen, tunkte mich der Handlanger des Priesters unter. Wieder und immer wieder. Ich kotzte lange. Bis nichts, aber auch gar nichts mehr kam und ich nur noch Luft hervorwürgte. Irgendwann wurde ich ohnmächtig.

Knallharte Ohrfeigen holten mich zurück in diesen Realität gewordenen Albtraum. Vornübergebeugt fand ich mich wieder, gegen den Rand des Troges gelehnt. Bibbernd vor Ekel und Kälte. Nur schemenhaft erkannte ich die Gestalt des Priesters, die Brühe hatte meine Augen verklebt. Beschwörend donnerte er los: »Die Kraft Satans ist die Kraft der Toten und Dämonen. Dieses Bad wird euch stärken, euch Kraft geben zur Durchführung von Satans Wünschen!« Mit einer zackigen Kopfbewegung gab er seinen Helfern ein Zeichen. Zwei von ihnen packten mich an den Oberarmen, zerrten mich aus dem Trog, schleiften mich zu einem etwa zwei Meter hohen, hölzernen Satanskreuz und lehnten mich dagegen. Sie umwickelten mich von Kopf bis Fuß mit Stacheldraht und fesselten mich so ans Kreuz. Aus den Augenwinkeln konnte ich sehen, dass es Felix genauso erging. Und dann ließen sie uns stehen – drei Stunden lang:

nackt, verkrustet und erniedrigt. Bei jeder kleinsten Bewegung riss der Stacheldraht feine Wunden in meine Haut. Warmes Blut sickerte hervor. Ich verbot mir jeden weiteren Gedanken über das, was ich gerade durchgemacht hatte. Ich durfte mich nicht bewegen, das war jetzt wichtig.

Der Priester setzte die Messe fort, seelenruhig. Wir wurden nicht mehr beachtet. Erst nach der Opferung, am Ende der Messe, befreite man uns. Immer noch unversöhnlich, blaffte uns der Priester an: »Anziehen und mitkommen!« Dabei schmiss er jedem von uns einen Schlafsack vor die Füße. Vor der Halle stand eine schwarze Limousine mit dunkel getönten Scheiben. Zwei Schergen schubsten uns in den wohnzimmergroßen Fond des Wagens und stiegen schließlich dazu. Der Priester und ein weiterer Scherge setzten sich auf Fahrer- und Beifahrersitz. Eine abgedunkelte Trennscheibe versperrte uns jegliche Sicht nach vorn. Normalerweise hätte ich es toll gefunden, mal in so einem Schlitten durch die Gegend gefahren zu werden, doch das hier war eine Fahrt ins Ungewisse. Vielleicht sogar unser Leichenwagen. Und ich hatte gar nicht so Unrecht.

Als wir nach etwa zehnminütiger Fahrt von unseren Peinigern mitsamt den Schlafsäcken aus dem Wagen bugsiert wurden, standen wir vor dem Friedhof. Sie zerrten uns auf das Friedhofsgelände, schleppten uns an Dutzenden Gräbern vorbei, über die schmalen, sandigen Wege, weiter und weiter. Dann ließen sie uns stehen und verschwanden.

Felix und ich standen mutterseelenallein mitten auf einem riesigen, unbekannten Friedhof. Es muss so gegen drei Uhr morgens gewesen sein. Stockdunkel war es noch. Mir war übel, elend und schwindelig. Meine Beine fühlten sich an wie Wackelpudding, und meine Umgebung konnte ich nur verschwommen wahrnehmen.

Mit einem Mal drehte Felix durch. Zuerst keuchte und wimmerte er nur. Dann fing er an zu schreien, schien Halluzinationen zu haben, denn er schlug mit den Armen wild um sich und flehte irgendwelche unsichtbaren Gestalten an, ihn doch in Ruhe zu lassen. Ich nahm all meine Kraft zusammen und haute ihm links und rechts eine runter. Jetzt schlotterte er nur noch vor sich hin und umklammerte meinen Ärmel. Hilflos schluchzend stolperte Felix neben mir her.

Mir war schrecklich zumute. Ich hörte Geräusche, bildete mir ein, jemand tippe mir auf die Schulter. Doch da war niemand. Narrten uns die Geister der Toten? Bei jedem Rascheln im Gebüsch fuhr ich herum, aber ich konnte niemanden sehen. Psychoterror. Da ist jemand, und du weißt nicht wer, da sind mehrere, doch du weißt nicht wo. Felix war total weggetreten. Beruhigend redete ich auf ihn ein, schließlich nuschelte er nur noch undeutlich vor sich hin.

Felix halluzinierte, und auch ich fühlte mich alles andere als klar und nüchtern. Verzweifelt versuchte ich mich zu orientieren. Vorsichtig tappte ich umher, in Panik, aus Versehen in ein offenes Grab zu fallen. Doch vielleicht hatten sie auch genau das vor: uns umzubringen und in ein x-beliebiges Grab zu werfen? Niemand würde uns da je wieder finden. Sie hatten uns allein gelassen, um uns noch ein bisschen länger zu quälen. Hinter jedem Grabstein, hinter jedem Busch konnten sie auf uns lauern. Ich wusste doch, dass es für einen Schergen des Priesters ein Kinderspiel war, mir mit einem Ruck den Hals zu brechen. Gegen diese Typen war ich ein Zwerg mit meinen 1,78. Unfähig, deren Hals auch nur zu erreichen.

Fest hatte ich den heulenden und jammernden Felix am Arm gepackt und zog ihn hinter mir her. Er war zwar zu nichts zu gebrauchen, aber für mich war er in diesem Moment ein Rettungsanker. Ein Leidensgenosse, für den ich mich verantwortlich fühlte, ein menschliches Wesen, das ich beschützen musste. Wäre ich allein gewesen, hätte ich mich bestimmt aufgegeben. So riss ich mich zusammen, atmete tief durch und mobilisierte all meine restlichen Kräfte. Wir mussten diesen Schlächtern entkommen. Wir mussten zurück in die Zivilisation.

Für den Priester und seine Dämonen war das mal wieder nur eines ihrer Spielchen. Eigentlich hätte ich das endlich wissen müssen. Uns wieder einzufangen bereitete ihnen nicht die geringste Mühe. Und so liefen wir ihnen direkt in die Arme. Plötzlich waren wir von ihnen umringt. Es gab kein Entrinnen. Resigniert schloss ich die Augen und wünschte mir nur noch, dass es schnell gehen würde. »Wenn du jetzt stirbst, hast du es wenigstens hinter dir. Dann bist du erlöst!« Aber der Priester hatte sich eine neue Tortur für uns ausgedacht. Er wollte uns weiter quälen. Das macht natürlich mehr Spaß, als jemanden kurz und schmerzlos zu töten.

Sie führten uns vor zwei offene Gräber. Die drei Schergen hievten die beiden Särge herauf. »Aufmachen«, befahl der Priester. Felix sackte in sich zusammen, ich wich entsetzt zurück. Doch zwei Fausthiebe in die Nieren ließen mich gehorchen. Ich griff das Brecheisen, das mir der Priester entgegenstreckte, und öffnete den Sargdeckel.

Stechender Verwesungsgeruch schlug mir entgegen und brachte mich wieder zum Kotzen. Reine Magensäure. In den Sarg steigen, lautete der Befehl. Vorher durfte ich den entrollten Schlafsack hineinwerfen. Zögernd kroch ich auf den stinkenden Kadaver und legte mich bäuchlings auf die Leiche. Nur dieses Stück Stoff trennte mich von dem Toten. »So bleibt ihr liegen, bis wir euch wieder abholen. Und wagt es nicht, euch zu rühren. Ihr seid nicht allein!«

Der Gestank war bestialisch, der Tote hatte schon eine Weile unter der Erde gelegen. Trotzdem spürte ich noch menschliche Konturen. Sie waren zu weich, ich lag also nicht auf einem Skelett. In meiner Verzweiflung fing ich an, mich mit der Leiche zu unterhalten. »Na, du, hoffentlich hattest wenigstens du ein schönes Leben. Meines ist ziemlich beschissen. Weißt du, es tut mir Leid, dass ich dich in deiner ewigen Ruhe störe, aber du hast den Scheißkerl in der Kutte ja gehört … he, vielleicht kann deine Seele ja da oben ein gutes Wort für mich einlegen …« Bloß keine Furcht und Ekel aufkommen lassen. Nur nicht durchdrehen! Ich brabbelte und brabbelte, bis ich über mir Schritte hörte. »Los, aufstehen. Es ist genug jetzt. Eure Lektion ist beendet!«

9

Der Sommer verging ohne besondere Vorkommnisse. Ich hatte meine Lektion gelernt: Solange ich mich an die Regeln meiner Gruppe hielt, meine Aufträge ohne Murren und Zögern ausführte, wurde ich in Ruhe gelassen. Es ging mir gut. Die Teufelsanbeter hatten einen Mann aus mir gemacht, bildete ich mir ein.

Im Heim kam ich dafür gar nicht mehr zurecht. Die vielen Regeln, Verbote und Pflichten waren mir nur noch lästig. Kinderkram war das, mit dem ich nichts mehr zu tun haben wollte. Ich drängte darauf, doch in eine Außenwohngruppe verlegt zu werden. Schließlich gab die Heimleitung nach. Nicht etwa, weil sie mich für so erwachsen und verantwortungsbewusst hielten, sondern weil ich ein nicht zu bändigender Störfaktor in meiner Gruppe geworden war. Und sie ließen es sich auch nicht nehmen, mir das in einem Gespräch unter vier Augen klar zu machen. War mir doch egal. Hauptsache, ich konnte raus aus dieser engstirnigen, katholischen Gemeinschaft. Diese Rundumbetreuung im Heim nervte mich besonders. Dagegen bot die WG einen wesentlich größeren Freiraum.

Das muss man sich mal vorstellen: Lukas, der Satanist, muss sich im Alltag von Christenschweinen herumkommandieren lassen. Das ging mir gehörig gegen den Strich. Wie oft musste ich mir auf die Zunge beißen, um die Katze nicht doch aus dem Sack zu lassen. Wie gerne hätte ich ihre dummen, verdutzten Gesichter gesehen. Bestimmt hätten sie dann Angst vor mir gehabt. Doch ich musste mich mit meinem inneren Gefühl der Überlegenheit zufrieden geben. Mit dem Bewusstsein, dass ich jeden von ihnen, ob Mitbewohner oder Erzieher, fertig machen könnte. Ein erhebendes Gefühl!

Die Außenwohngruppe lag zentraler als das Heim. Keine Gewaltmärsche mehr, wenn ich den letzten Bus um Mitternacht versäumt hatte. Keine Angst mehr, dass hinter jedem Busch, Baum oder Strauch, von denen es auf dem Weg zum Heim und auf dem Wohngelände zu viele gab, jemand auf mich lauern würde. Die große Wohnung teilte ich mit zwei anderen Jungs, beide älter als ich. Wir bekamen Taschengeld und mussten uns selbst versorgen. Einmal am Tag kam ein Erzieher, um nach dem Rechten zu sehen. Bis auf gelegentliche Kontrollanrufe, ob ich mich mit meinen fünfzehn Jahren auch nicht nächtelang herumtrieb, blieben wir uns selbst überlassen.

Mein Zimmer war mein Reich, niemand durfte es ohne meine Erlaubnis betreten. Ich machte daraus eine satanische Kultstätte. Schwarz war natürlich inzwischen meine Lieblingsfarbe. Schwarz empfand ich als beruhigend. Nur an die Farbe Rot konnte ich mich nicht gewöhnen. Sie blieb mir immer unheimlich. Das ging so weit, dass ich während meines Malerpraktikums jedes Mal ausflippte, wenn ich irgendetwas rot anstreichen sollte. Deswegen habe ich mich später auch für eine Tischlerlehre entschieden, obwohl mir der Malerberuf ansonsten gut gefallen hat. Ich war nämlich immer ein guter Zeichner gewesen, und so machte ich mich mit Eifer und Begeisterung daran, für mein neues Zuhause Poster und Bilder zu entwerfen und zu malen. Totenköpfe, Pentagramme, Gesichter von Dämonen und mein Meisterwerk: eine lebensgroße Figur von Satan, so wie ich ihn mir vorstellte – stolz, unbarmherzig, böse und in Siegerpose. Er war mir so gut gelungen, dass ich die Papierzeichnung auf Pappkarton klebte, ausschnitt und dann neben die Zimmertür stellte. Als Wächter meines Reiches sozusagen. Die braunen, nichts sagenden Möbel strich ich schwarz. Bett, Schrank, ein kleiner Tisch, zwei Stühle und ein Bücherregal. Über die biedere Couch am Fenster warf ich ein Stück Stoff mit Zebrastreifen. Das hatte was – es war richtig gemütlich.

Vor allem abends, wenn ich all die schwarzen Kerzen anzündete, die ich im ganzen Raum verteilt hatte. Herrlich. Dazu ein Bier und gute Musik, da konnte ich sogar wieder schlafen. Musik war das beste Schlafmittel. Vorzugsweise meine Trancemusik, zum Beispiel Pink Floyd, oft aber auch Death Metal. In einer Lautstärke, die alle anderen wach hielt, für mich jedoch die einzige Möglichkeit war, meinen ewig angespannten Nerven etwas Ruhe zu gönnen. Ich brauchte diesen Lärm, denn nur so hörte ich kein Knacken, kein Knarren, kein Quietschen, kein Piepen, kein Pfeifen, kein Schreien. All diese Geräusche, von denen ich nie wusste, ob ich sie wirklich hörte oder ob sie nur in meiner Einbildung existierten.

Eines Nachts, es muss so gegen elf Uhr gewesen sein, flogen Steinchen gegen mein Fenster. Es war Peter. »Was will der denn hier, mitten in der Woche«, fragte ich mich erschrocken. Doch mit langen Erklärungen hielt er sich nicht auf: »Los, komm mit, außerordentliche Versammlung im Wald. Alle sollen dabei sein!« Ich gehorchte. Während Peter mit seinem Auto Richtung Waldrand raste, erzählte er aufgeregt: »Erinnerst du dich an den Kerl, der schon so oft ermahnt und bestraft worden ist? Angeblich hat er mit Frauen außerhalb der Sekte geschlafen, freundschaftliche Kontakte zu Christenschweinen gehabt. Na, und jetzt haben sie den Verdacht, dass er sich von uns absetzen will.« Er legte eine bedeutungsvolle Pause ein. »Heute Nacht wirst du erleben, wie wir mit Verrätern umgehen.«

Schon von weitem hörten wir markerschütternde Schreie, immer wieder übertönt von Jubel, Pfiffen und Klatschen. Auf einer Lichtung mitten im Wald flackerte ein Lagerfeuer. Das einzige Licht, denn es war eine dunkle, verhangene Nacht. Nur der Priester und seine vier Dämonen waren in ihren satanischen Roben erschienen, die anderen trugen, genau wie Peter und ich, ihre Alltagsklamotten. Das war auch egal, denn es war so stockduster, dass man die Hand nicht vor Augen sehen konnte. Ab und zu nur waren der Priester und seine Helfer dem Schein des Feuers ausgesetzt. Vor den Füßen des Priesters lag ein Sack – der sich bewegte. Es war ein Mensch. Sie hatten seine Hände auf den Rücken gedreht und sie mit Stricken an seine Füße gefesselt. Er war nackt, nur mit einer Boxershorts bekleidet. Im auflodernden Feuer konnte ich sein Gesicht sehen, oder das, was davon übrig war: Es war bereits zu Brei geschlagen.

Einer der Schergen schnappte sich ein dickes Seil, ging damit zu einem Baum und warf es über einen starken Ast. Er prüfte die Stabilität von Seil und Baum, nickte dann sein Okay zum Priester. Die hängen den auf, dachte ich, aber es machte mir gar nichts aus. Ich stand da, lässig, mit verschränkten Armen, und es ließ mich völlig kalt. Ich sah zu, als wäre ich im Theater, ich betrachtete es wie ein Schauspiel auf einer Bühne. Der Typ war doch selbst schuld! Wie konnte er nur so blöd sein, zu glauben, dass er sich aus unserer Gemeinschaft lösen könnte. So ein Vollidiot!

Die anderen drei Schergen schleppten das Menschenbündel unter den Baum. Gekonnt verknoteten sie das eine, vom Ast herunterhängende Seilende mit der Fessel auf dem Rücken des Mannes und zogen ihn hoch. Das zweite Ende zurrten sie etwa einen Meter fünfzig über dem Boden fest um den Baumstamm. Da hing er nun und schrie. Folter war das! Durch das Aufhängen an den nach hinten gefesselten Armen wurden ihm wahrscheinlich die Arme ausgekugelt – durch sein eigenes Gewicht. Mich schauderte. Der Kerl schrie und schrie, und um uns rauschte der Wind in den Bäumen. Gemächlich schritt der Priester auf sein Opfer zu, zwei der schwarz Vermummten hielten den baumelnden Leib fest, damit er nicht länger hin und her schaukelte. Der Priester hob die Hand. Undeutlich erkannte ich die Umrisse einer langen Messerklinge. Und während der hilflose vermeintliche Verräter um sein Leben brüllte und bettelte, schlitzte der Priester ihm die Bauchdecke auf. Es wurde totenstill.

Ungerührt richtete der Priester nun das Wort an uns alle: »Er hat Satan, unseren Herrn, verraten. Er hat sich gegen unsere Gesetze gewandt. Satan bestraft jeden, der es wagt, sich von ihm abzuwenden. Preiset Satan!« – »Preiset Satan!«, rief die Menge. Mir waren sämtliche Worte abhanden gekommen.

Danach wurde ich noch vorsichtiger. Auch die letzten persönlichen Kontakte außerhalb der WG brach ich ab. Ich besuchte Sylvia nicht mehr, und Natalie wollte ich auch nicht mehr treffen. Meine Schwester war das kleinere Problem. Es hatte schon öfter Phasen gegeben, in denen wir uns monatelang nicht gesehen hatten. Doch Natalie wurde zunehmend saurer. Es wollte einfach nicht in ihren Kopf, dass ich nur noch mit ihr telefonieren mochte. »Deine Ausflüchte werden immer fragwürdiger, Lukas. Wenn du nichts mehr mit mir zu tun haben willst, dann sag es doch einfach.« Ihre Stimme klang bitter und verletzt. Vielleicht wäre das der einfachste Weg gewesen, doch ich wollte sie nicht ganz verlieren. Wenigstens per Telefon sollte sie noch für mich da sein. Mein letzter Zipfel Normalität. Und so beschwichtigte und beruhigte ich sie immer wieder. Brachte sie aufs Neue dazu, mit mir zu lachen und zu scherzen, und sie gab mir, ohne es zu wissen, das beruhigende Gefühl, mich wie ein Mensch benehmen zu können.

Und dann kam dieser schreckliche Samstagabend im Dezember. Es war kurz vor Weihnachten. Der Priester teilte mir mit, dass es an der Zeit wäre, meine zweite Prüfung abzulegen. »Satan hat deine Fortschritte mit Wohlwollen beobachtet.« Ich konnte mir ein stolzes Grinsen nicht verkneifen. »Nun sollst du beweisen, dass du Satan, nur Satan, deinem Herrn, gehorchst. Die Dämonen des Herrn werden dich begleiten und dir den Weg zu deinem Opfer weisen.«

Na, dann mal los! Nach all den Freunden, die ich bis jetzt im Namen Satans vertrimmt hatte, konnte doch gar nichts schief gehen. Mach ich eben noch einen fertig, dachte ich hochmütig. Wieder einmal durfte ich in der schwarzen Limousine Platz nehmen. Und diesmal genoss ich die Fahrt, hatte ich doch heute Nacht keine Bestrafung zu fürchten. Okay, noch ein Freund wird dran glauben müssen, doch ich dachte nur noch an den Kraftschub, den ich nach bestandener Prüfung von Satan als Dank erhalten würde. Er würde mich stärken für meinen Weg nach oben. Zum Priestertum.

Oh, wie sehr ich es mir doch wünschte, ein würdiger Satanspriester zu werden. Dann würde ich in die Geheimnisse der schwarzen Magie eingeweiht werden. Lukas, der Satanspriester, mit all dem Wissen und der Macht des Teufels hinter sich. Dann würde ich nur noch Befehle geben und die Meute würde in meiner Gegenwart vor Ehrfurcht und Demut erstarren. Ich war verdammt guter Laune auf der Fahrt zu meiner Prügelprüfung. Den Starken gehört die Welt. Lukas gehört die Welt.

Auf dem Marktplatz hielten wir an. Ein Scherge forderte mich mit einem coolen Kopfnicken auf, auszusteigen. Elf Uhr abends war es und ziemlich kalt. Kaum ein Mensch weit und breit. Inzwischen waren auch die vier Hünen aus dem Auto gestiegen. Einer nickte Richtung Brunnen. Dort stand ein Mädchen mit langen, dunklen Haaren. Sie kehrte uns den Rücken zu und beobachtete das plätschernde Wasserspiel. »Aber das ist doch ein Mädchen!«, entfuhr es mir entrüstet.

Die Stimme meines Bewachers duldete keinen Widerspruch: »So will es Satan! Los!« Schleppenden Schrittes näherte ich mich der zierlichen Gestalt. Ich war fassungslos. Warum sollte ich beweisen, dass ich einer Frau wehtun konnte? Es ergab keinen Sinn! Bis sich die Frau am Brunnen zu mir umdrehte. Es war Natalie. Mit einem Freudenschrei fiel sie mir um den Hals. Sie herzte und küsste mich und plapperte drauflos: »Na endlich, Lukas. Gott, ist das schön, dich zu sehen. Ich find's zwar komisch, dass du mich nicht selbst angerufen hast, doch was soll's! Hauptsache, du hast mal wieder Zeit für deine alte Freundin …« Während sie munter weiterschwatzte, arbeitete es fieberhaft in mir.

Das war also der Sinn der Prüfung: Ich sollte Natalie dem Teufel opfern. *Im Satanismus gibt es keine Freundschaft.* Zeit zum Überlegen hatte ich nicht, die Situation war ausweglos. Mir schossen Tränen in die Augen. »Du dumme Zicke«, herrschte ich sie an, »wie konntest du nur hierher kommen?« Natalie wich bestürzt zurück. Sie sah meine Tränen, hob die Hand, um sie mir wegzuwischen. Ich stieß ihren Arm zurück.

Verstohlen blickte ich mich um. Natürlich standen sie da. Breitbeinig und mit vor der Brust verschränkten Armen beobachteten sie die makabre Szene. Die Dämonen des Herrn, die Häscher, die mich überall finden würden, sollte es mir jetzt gelingen, abzuhauen. Ich raste vor Wut: auf mich selbst, auf meine Einfältigkeit und Dämlichkeit. Und Natalie! Sie verstand aber auch gar nichts. Sie versuchte nicht einmal, wegzulaufen. Hatte es sich wirklich noch nicht bis zu ihr herumgesprochen, dass ich unberechenbar war? Hatte sie keiner unserer gemeinsamen Freunde je darauf angesprochen?

Ich versetzte ihr mit der flachen Hand eine Ohrfeige. Sie blinzelte, wich zurück. Verwirrt und verständnislos stammelte sie: »Aber Lukas …!?« Ich boxte sie halbherzig in die Rippen. Jetzt wurde Natalie wütend. »Spinnst du?«, kreischte sie mich an und ging auf mich los. Sie trommelte mit den Fäusten gegen meine Brust, ich ließ es mir benommen gefallen. »Du Arschloch, ich bin's, Natalie! Jemand zu Hause?«

Aus den Augenwinkeln sah ich die vier Hünen. Sie hatten sich in Bewegung gesetzt, kamen unaufhaltsam auf uns zu. Die wollten doch wohl nicht meinen »Job« übernehmen? Oder wollten sie Natalie mitnehmen? Ich geriet in Panik. Mit einem verzweifelten Aufschrei packte ich Natalie und warf sie gegen den Brunnenrand. Dabei versuchte ich stur, ihre angstvoll aufgerissenen Augen zu ignorieren. Schlag ihr bloß nicht ins Gesicht, kommandierte ich mich. Sie rutschte zu Boden, umschlang ihre Knie mit den Armen und versteckte völlig verängstigt den Kopf zwischen ihren Beinen. »Hör auf, Lukas, bitte, tu mir nicht weh!«, flehte sie.

Aber ich hatte doch keine andere Wahl. Also griff ich sie am Haarschopf, riss ihren Kopf hoch und klebte ihr noch eine. Sie stürzte auf den Rücken, und ich warf mich auf sie. Drosch ihr, ich weiß nicht, wie oft, in die Rippen und in den Bauch. Ich schlug sie regelrecht zusammen. Irgendwann blieb sie zusammengekauert wie ein Embryo auf der Seite liegen.

Tränenüberströmt kam ich wieder zu mir. Mit dem Ärmel wischte ich mein Gesicht trocken, setzte meine undurchsichtigste Miene auf und rannte zurück zum Wagen. Der Scherge, der mir die Tür aufhielt, grinste zufrieden. Am liebsten hätte ich ihm seine selbstgefällige Fratze kräftig poliert, doch was hätte das schon gebracht? Jedenfalls bestand ich darauf, dass ich unbedingt telefonieren müsste. Sie ließen mich gewähren, und ich bestellte eine Ambulanz zum Brunnen am Marktplatz. Anonym natürlich.

Das Lob des Priesters prallte an mir ab. Sollte ich mich freuen, weil ich Schwein genug war, eine Frau kaputtzuschlagen? Da konnte ich mir nicht einmal einreden, dass ich Stärke bewiesen hatte. Ich weiß, in der Prüfung ging es darum, zu zeigen, dass mir Freundschaft zu Christen nichts bedeutete. Dass ich Satan unbedingten Gehorsam entgegenbrachte. Gut. Ich hatte es bewiesen. Aber doch nur unter Druck. Nur in dem Bewusstsein, dass die Häscher hinter mir stehen, mich beobachten und im Zweifelsfalle eingreifen würden. Warum reichte Satan so eine Tat als Beweis für meine Demut? Ich verstand nichts mehr. Und ich fühlte mich wie der letzte Dreck.

Sonntagmorgen rief ich sämtliche Krankenhäuser an. Ich musste wissen, wie es Natalie ging. Das fünfte Krankenhaus bestätigte mir Natalies Einlieferung, man wollte mir jedoch am Telefon keine Auskunft über ihr Befinden erteilen. Zwei Stunden kämpfte ich mit mir, lief in meinem Zimmer auf und ab wie ein eingesperrter Tiger. Ich musste mit ihr reden, musste versuchen, ihr alles zu erklären. Sie würde mir zuhören. Natalie würde mir diese Chance geben.

Gegen Mittag machte ich mich auf den Weg in die Klinik. Bereitwillig gab man mir am Empfang ihre Zimmernummer. Der Fahrstuhl brachte mich in den fünften Stock. Mein Herz klopfte zum Zerspringen. Immer wieder beschwor ich sie im Geiste: »Bitte, lass es mich erklären, Natalie, bitte, hör mir zu!« Vor ihrer Zimmertür verließ mich der Mut. Was sollte ich sagen? Was konnte ich sagen? Es gab keine Entschuldigung, außer der Wahrheit. Und die musste mein Geheimnis bleiben. Mit einem Stoßseufzer öffnete ich die Tür. Ich musste es einfach versuchen. Vielleicht würde sie mir doch verzeihen.

Ihr Bett stand direkt neben der Tür, aber sie hatte schon Besuch. Vier Frauen bemühten sich um sie. Eine davon war ihre Mutter, die anderen wohl Freundinnen. Natalie sah schlecht aus, ganz blass, traurig und verfallen. Entsetzen verzerrte ihr Gesicht, als sie mich sah. Sie krallte sich an ihrer Bettdecke fest, schnappte hilflos nach Luft und wich zurück. Stück für Stück schob sie sich die Wand am Kopfende ihres Bettes hoch. Fast anfallartig schüttelte sie den Kopf und stieß unverständliche Laute aus. Und dann schrie sie los, wie ich noch nie einen Menschen habe schreien hören. Ihr zarter Körper bebte, abwehrend warf sie den Kopf von einer Seite zur anderen. Wie zur Salzsäule erstarrt stand ich da und beobachtete ihren Ausbruch. Damit hatte ich nicht gerechnet. Zwei ihrer Besucherinnen stürmten auf mich zu und verfrachteten mich zurück auf den Gang. Wild gestikulierend schnauzten sie mich an: »Wie kannst du es wagen, hierher zu kommen? Sie war im sechsten Monat schwanger. Sie hat ihr Baby verloren!« – »Und sie wird nie wieder ein Kind bekommen können. Dafür hast du gesorgt, du Schwein, du Kindermörder!«

Ich riss mich los, hetzte die Treppe hinunter und rannte raus auf die Straße. Ich lief wie um mein Leben, rempelte Passanten an, donnerte gegen Laternenpfähle, Mauern und Briefkästen. Ganz allmählich nur begriff ich das gesamte Ausmaß meiner Schuld. Natalie hatte immer davon geträumt, viele Kinder zu kriegen. Sie war eine Kindernärrin. Und ich hatte ihren sehnlichsten Zukunftstraum zerstört, ihr wahrscheinlich den Lebensinhalt genommen.

Aber auch ich hatte etwas Wertvolles verloren: Natalies Vertrauen und ihre Zuneigung zu mir. Da geht er hin, der letzte wichtige Mensch in meinem Leben. Und wofür das alles? Für Satan! Scheiß-Satanisten! Aber hatte sie mir nicht auch verschwiegen, dass sie schwanger war? Warum hatte sie es mir nicht erzählt, es verheimlicht? Nicht einmal von einem festen Freund hatte sie etwas verlauten lassen. Ich bemühte mich, unsere Vertrautheit herunterzuspielen, alles zu verharmlosen. Damit ich den ganzen Irrsinn besser aushalten konnte. Doch es gelang mir nicht. Was ich dieser Frau angetan hatte, war, ist und bleibt unverzeihlich.

Irgendwann fand ich mich im Industriegebiet wieder. Voll ohnmächtiger Wut schnappte ich mir eine der herumliegenden schweren Eisenstangen und hämmerte gegen die Wände der Lagerhalle, dem Treffpunkt der Satanisten. Ich wollte ihren Tempel zerstören. Ich musste alles klein hacken. Zertrümmern. Vernichten. So, wie sie mein Leben zerstört hatten. Und Natalies. Platt machen. Alles platt machen. Nach einer Weile sank ich erschöpft auf den kalten Schotterboden. Es war schon dunkel, als ich mich aufraffte und mich rüber zum Fluss schleppte. Stundenlang glotzte ich heulend aufs Wasser. »Spring«, ermutigte ich mich. »Spring doch endlich.« Doch ich hasse Wasser. Morgen würde ich mir einen anderen Weg zum Schlussmachen ausdenken.

Die ganze Woche spielte ich mit dem Gedanken, mich umzubringen. Aber wie sollte ich es tun? Mit Rattengift? Schlaftabletten? Oder vom höchsten Wohnhaus unserer Stadt springen? Dreimal war ich dort. Drückte mich stundenlang auf dem Flachdach herum und haderte mit dem Schicksal, meinem verpfuschten Leben und mit meiner Feigheit. Warum brachte ich es nicht fertig? Nur ein kleiner Schritt ins Leere. Dann würde ich fliegen, für immer wegfliegen in eine bessere Welt. Und vielleicht würde Natalie dann auch begreifen, wie sehr mir ihr Unglück zu schaffen machte.

Ich flennte jämmerlich dort oben auf dem Dach, krümmte und wand mich vor Schmerzen, Schmerzen, die von meinen Schuldgefühlen ausgelöst wurden. Wenn ich damals gewusst hätte, dass ich viel später noch zusammenbrechen würde, wenn ich über Natalie sprechen musste, dann wäre ich bestimmt gesprungen. Noch heute kann ich diese Erinnerung nicht aushalten. Niemand kann nachvollziehen, wie sehr mich Natalies Schicksal belastet. Unermessliches Leid habe ich ihr angetan, den Schmerz über ihre Kinderlosigkeit wird sie niemals verwinden, und ich habe diese Katastrophe verursacht. Im Namen Satans. Um ihm zu gefallen, um meinen Kopf hoch tragen zu können vor meinen Glaubensbrüdern. Nun muss ich mit meinen Seelenqualen leben, weil ich mich nicht getraut habe, mich umzubringen.

In der nächsten Messe lobte mich der Priester als leuchtendes Beispiel. Noch nie hatte ein Jünger zwei Prüfungen in einem Jahr bestanden. Meine Fortschritte hatten ihn so beeindruckt, dass er mir sogar eine Frau aus der Meute schenkte.

Darüber freute sie sich bestimmt viel mehr als ich. Für sie war es ein Schritt nach oben, ein Schritt heraus aus der Masse, aus der Anonymität. Nun musste sie nicht mehr für jeden die Beine breit machen. Als Frau eines Jüngers war sie annähernd so etwas wie mein Privatbesitz. Wer nun mit ihr schlafen wollte, musste erst mich um Erlaubnis fragen. Außerdem

hatte es sich unter den Frauen schon lange herumgesprochen, dass ich nett war, keine perversen Sex-
praktiken verlangte und noch nie eine Frau geschlagen hatte. Bei den zahlreichen Orgien hatten mich
meine Partnerinnen oft gefragt, ob ich sie nicht zu
meinem festen Verhältnis machen wollte. Kein Wunder, denn was bei den Orgien manchmal unter Kutten und Kleidung zum Vorschein kam, war schon
abstoßend: runzelige, verbrauchte Haut, schlappe
Hängebäuche und -ärsche. Und je unappetitlicher
der Typ, desto abartiger waren seine sexuellen Wünsche und Neigungen. Oft fragte ich mich, wie die
Mädels das aushielten. Sie taten mir Leid, doch an einer satanischen Zweckgemeinschaft ohne Liebe, Vertrauen und Zärtlichkeit hatte ich kein Interesse.

Auch an der geschenkten Frau hatte ich keines.
Sie war noch ziemlich jung, etwa siebzehn. Ihre langen, schlanken Beine steckten in knallengen, schwarzen Jeans, ihr rundes Gesicht war fast zu puppenhaft
für meinen Geschmack. Doch sie hatte langes, dun-
kelbraunes Haar – und das gefiel mir. Ich nannte sie
Membaris, nach einem besonders hinterhältigen Dä-
mon aus Satans Gefolge. Ihren richtigen Namen habe ich nie erfahren. Wollte ich auch gar nicht.

Nun hatte ich also eine Frau. Sie besuchte mich
oft, kochte für mich und schlief mit mir, wann immer
ich es wollte. Manchmal blieb sie auch über Nacht
bei mir. Einerseits fand ich es schön, nicht allein
schlafen zu müssen, andererseits hatte ich Angst, sie
könnte von meinen Albträumen etwas mitkriegen.
Es war ein seltsames Verhältnis, denn mein wahres
Gesicht konnte ich ihr nicht zeigen. Unser einziges

Gesprächsthema war Satan und seine dunkle Welt. Niemals hätte ich ihr gegenüber von meinen Zweifeln oder Schuldgefühlen gesprochen. Sie war eine Satanistin, und als solche wusste sie: Gefühle sind tabu. Vielleicht hatte sie ja auch welche, aber gegenseitiges Misstrauen stand wie eine dicke, unüberwindbare Mauer zwischen uns. Sie hielt mich für stolz und unnahbar. Dabei war meine Zurückhaltung nichts anderes als Angst vor Verrat. Doch das hat sie nie geschnallt.

———————10———————

Weihnachten! Natürlich gibt es für Satanisten zu Weihnachten nichts zu feiern. Ganz im Gegenteil. Wir hatten den Befehl, das Fest der Liebe vollkommen zu ignorieren. Geschenke sollten wir weder akzeptieren noch verteilen. Und auf keinen Fall an einer Weihnachtsfeier teilnehmen. Schließlich gibt es für den Satanisten keine »Lieben«, enge Vertraute, Freunde oder etwa Familienbande. Mir war diese Anordnung ganz recht. Ich konnte diesen scheinheiligen Liebesschmus noch nie leiden. Allein bei dem Gedanken an Weihnachten wird mir ganz schlecht: Vater, Mutter und Kinder glücklich vereint unterm Tannenbaum. Die Eltern mit gütigem, verklärtem Lächeln, die Kinder mit vor Aufregung geröteten Wangen und strahlenden Augen.

Ja, das kenne ich. Aus der Werbung. Bei uns zu Hause hat es so etwas nie gegeben. Denn mein Stiefvater ist Türke. Als Muslim hat er sich immer geweigert, diesen »christlichen Humbug« mitzumachen. Und meine Mutter hat sich brav gefügt. Wie immer. Später dann, im Heim, konnte ich dieser Seid-wenigstens-einmal-im-Jahr-nett-zueinander-Mentalität auch nichts mehr abgewinnen. Ich war zwar erst elf, als ich das erste Weihnachtsfest im Heim über mich ergehen lassen musste, doch schon damals empfand ich diese plötzliche Gefühlsduselei als heuchlerisch und verlogen.

Und nun hatte ich wenigstens einen triftigen Grund, mich aus dem blöden Weihnachtsquatsch auszuklinken. Bestimmt fiel es einigen anderen Satanisten etwas schwerer, sich dem ganzen Trubel und gewissen Verpflichtungen gegenüber Eltern und Geschwistern zu entziehen. Und weil das so war, aber gegen unsere Regeln verstieß, hatten die Spitzel des Priesters zu Weihnachten auch besonders viel zu tun.

Außer der Weihnachtsverweigerung hatten wir noch eine weitere Pflicht: Am 24. Dezember, um elf Uhr abends mussten wir zu einer Messe auf dem alten Fabrikgelände antanzen. Und wieder wurde es grausam: Der Priester opferte Satan in dieser Nacht einen drei Monate alten Säugling. Wie ein Tier schlitzte er das wehrlose, hilflos strampelnde Kind auf. Wer seine Mutter war, weiß ich nicht. Es hätte jede der anwesenden Frauen sein können. Geheult hat keine, Gefühlsausbrüche sind schließlich unwürdig. Außerdem ist es eine Ehre, sein Kind Satan zu überlassen. Würde es weiterleben, könnte es durch den »guten« Einfluss der Christen verdorben werden. Das will keine Satanistin.

Um zwei Uhr morgens war alles vorbei, und wir wurden in die klirrende Kälte der Nacht entlassen. An Schlaf war nicht zu denken. Also fuhren Peter und ich noch in die Stadt. Er parkte den Wagen auf dem Marktplatz, und wir stapften los.

Vorbei an dem Brunnen, an dem ich Natalie ihr Baby aus dem Leib geprügelt hatte, die Straße ent-

lang, in der ich zum ersten Mal einen Fremden zusammengeschlagen hatte. Damals, vor der Disko.
Und vorbei an der Stammkneipe von Dirk, dem ersten Freund, den ich im Namen Satans »abtöten«
musste. Was für ein Jahr! Im Dienste Satans. Ich hatte deutliche Spuren hinterlassen, bei vielen, die ich
mal gut gekannt hatte, aber auch bei jenen, die mir
fremd waren. Spuren der Verwüstung.

Ob Peter ähnlichen Gedanken nachhing? Nach Reden schien ihm ebenfalls nicht zumute zu sein. Mit
grimmigem Gesichtsausdruck und hochgezogenen
Schultern, die Hände tief in die Taschen seiner Dau-
nenjacke vergraben, lief er stumm neben mir her. Es
fing an zu schneien. Flauschige, weiße Sterne fielen
vom Himmel. Setzten sich auf Gartenzäune, Autos,
kahle Äste und Dächer. Es war so still. So friedlich.
Als gäbe es nichts Böses auf dieser Welt. Außer uns.
Peter und Lukas. Wir sind das Böse. Die einzigen
schlechten Menschen in dieser Stadt.

Die Lichter der üppigen Weihnachtsbeleuchtung
verschwammen vor meinen Augen. Tränen? Nein, es
war bestimmt nur der eiskalte Wind, der mir das
Wasser in die Augen trieb. Aber wieso fühlte ich
mich plötzlich einsam? So lausig klein, unbedeu-
tend und allein? Peter war schließlich da. Doch was
bedeutete schon diese erbärmliche Kumpanei gegen all diese Menschen, die jetzt gemeinsam Weihnachten feiern konnten? Obwohl ich dieses Weih-
nachtsgetue ja erklärtermaßen schauerlich fand, riss
der aufkeimende Neid mich mit. Eine abgrund-
tiefe Kluft tat sich in mir auf, ich schwankte zwischen wildem Hass auf diese Spießer und brennen-

der Sehnsucht, ein wenig an ihrer Freude teilhaben zu dürfen. Hinter all diesen hell erleuchteten Fenstern verbargen sich Menschen. Familien. Gemeinschaften. Sie aalten sich in Wärme und Geborgenheit.

Und ich? Scheiße! Ich hob einen faustgroßen Stein auf, der auf dem Fußweg lag. Das Klirren der splitternden Fensterscheibe holte mich zurück in die Wirklichkeit. Ich hatte den Stein geworfen. Mitten hinein in das nächstgelegene Spießerfenster, geschmückt mit Lichterketten und Glitzersternchen. Peter gaffte mich an. »Spinnst du?« Aber für meine Antwort war keine Zeit. Wir rannten los. Stolperten und schlitterten zurück zum Auto. Peter beschimpfte mich, und ich ließ es grinsend über mich ergehen. Hauptsache, mir ging es besser.

Im Januar des nächsten Jahres ging ich mal wieder in eine Disko. Normalerweise mied ich diese Anmacherschuppen. Da liefen einfach zu viele schnuckelige Perlen herum. Flirten und Mädels aufreißen liegt mir eigentlich im Blut. Und gerade deshalb kam ich lieber erst gar nicht in Versuchung. Die Dämonen des Herrn sind überall!

Doch an diesem Freitag musste ich mir einfach etwas Gutes tun. Denn mein Geburtstag war erst ein paar Tage her. Aber wie üblich hatte im Heim und in der WG keiner daran gedacht. Also wollte ich mir selbst eine Freude machen. Mich von einem harten Beat zudröhnen lassen und Mädels gucken. Für ein paar Stunden so tun, als wäre ich ein normaler Sechzehnjähriger auf der Piste.

Am Eingang der Disko ermahnte ich mich nochmals selbst: Gucken ja, anmachen nein!

Fröhlich pfeifend schlenderte ich selbstzufrieden durch den Laden, sondierte erst mal das Gelände. Ganz bewusst stellte ich mich dann an der Bar neben ein Pärchen. Die Kleine sah zwar spitzenmäßig aus, doch der Typ neben ihr war auch nicht ohne. Bodybuilder, schloss ich aus seinen Muskelpaketen, die er nur dürftig mit einem ärmellosen T-Shirt bedeckt hatte. Schnell stellte sich jedoch heraus, dass die beiden Geschwister waren. Tobias und Daniela – beide professionelle Bodybuilder, beide so herzlich und freundlich, dass es mich fast umwarf. Wir verbrachten einen tollen Abend miteinander. Zwischen uns dreien hatte es irgendwie gefunkt. Ich weiß nicht, wie ich das sonst nennen soll. Wir hatten vom ersten Moment einen guten Draht zueinander. So gut, dass wir bald unsere Telefonnummern austauschten.

Als ich nach Hause ging, wusste ich, dass ich neue Freunde gefunden hatte. Was für ein Gefühl! Freunde! Wie lange hatte ich keine mehr gehabt. Von da an trafen wir uns oft, und bald gewann ich großes Vertrauen zu ihnen. Ich spürte, dass sie mich mochten. Sie waren so locker, so unkompliziert und offenherzig. Vor allem Tobias hatte so eine Art, die es mir unmöglich machte, ihn anzulügen. Einmal saßen wir in einem Café, als er unvermittelt herausplatzte: »Wer bist du eigentlich wirklich, Lukas? Dani und ich fragen uns schon eine Weile, was das wohl sein kann, worüber du nie mit uns sprichst?«

Zuerst war ich völlig perplex. Ich wollte sie schon auslachen, doch irgendetwas hielt mich zurück. Und dann vertraute ich mich ihnen an. Ich erzählte ihnen, dass ich Satanist war! Mit Einzelheiten hielt ich mich natürlich zurück, doch sie waren auch so ziemlich schockiert. Aber es war besser so. Wenigstens konnte ich jetzt loswerden, wie gerne ich Dani zur Freundin haben würde. Und warum es nicht ging. Dani war sehr bestürzt, bei Tobias kam der heldenhafte Beschützerinstinkt zum Vorschein. Ich war sein »kleiner« Freund, weil ich sechs Jahre jünger war als er. Er wollte mich »da rausholen«, und es kostete mich einige Mühe, ihm dieses Vorhaben auszureden.

Mitte Februar – es war wieder am Ende einer Messe – wurde ich mit neun anderen Jüngern ins Hinterzimmer gerufen. Mit diesem Raum verband ich keine angenehmen Erinnerungen. Mir war ziemlich mulmig zumute, während wir herumstanden und auf den Priester warteten. Was war denn jetzt wieder los? Welches abartige Spielchen hatte sich unser oberster Kuttenträger nun wieder für uns ausgedacht?

Wenigstens mussten wir nicht lange warten. Flankiert von seinen vier Dämonen baute sich der Priester vor uns auf und kam auch gleich zur Sache: »Ihr seid auserwählt, an einem Lehrgang in Amerika teilzunehmen. Ihr werdet unsere Brüder in Florida besuchen.« Wow! Amerika! In letzter Sekunde verschluckte ich den Freudenschrei. Mit meiner ungebremsten Begeisterung hätte ich mir wahrscheinlich noch alles vermasselt.

Kaum saß ich bei Peter im Auto, bombardierte ich ihn mit Fragen. »Fahren wir an die Küste? Wie kriege ich das bloß mit dem Heim geregelt? Und wovon soll ich das nur bezahlen? Wie soll ich mich mit den Amis verständigen, mit meinen paar Brocken Englisch?« Lachend hielt mir Peter den Mund zu: »Halt endlich die Klappe, dann erklär ich's dir.« Die Reise war für die Osterferien geplant, die ich sowieso bei meiner Schwester verbracht hätte. Auch mit der Kohle war alles in Butter. Diese einmalige Gelegenheit, in die USA zu kommen, brauchte ich mir also nicht entgehen zu lassen. »Die wollen doch, dass du diesen Kurs mitmachst. Deshalb übernehmen sie auch sämtliche Kosten«, beschwichtigte mich Peter.

Ich war glückselig, konnte es nicht fassen. Florida: Sonne, Strand, Weiber. Rapmusik, geile Diskos und Junkfood vom Feinsten. Peter versuchte, meine Begeisterung zu dämpfen: »Du bist da nicht im Urlaub. Der Lehrgang ist hart und die Messen da … na, du wirst schon sehen.« Für ihn war es bereits die zweite Reise nach Florida zu unseren amerikanischen Brüdern. Doch ich wollte es gar nicht hören. Der Lehrgang interessierte mich nicht. Lukas fährt nach Amerika. Lukas macht eine Traumreise. Lukas wird schon seinen Spaß haben.

Bis zur Abfahrt war ich ein mustergültiger Satanist. Um nichts in der Welt wollte ich diese Reise gefährden. Im April war es endlich so weit. Zusammen mit Peter bestieg ich die Maschine, die uns ins gelobte Land bringen sollte. Es war mein erster Flug. Alles war so wahnsinnig spannend.

Nachdem sich meine Aufregung etwas gelegt hatte, widmete ich mich mehr den anderen Passagieren.

Ich sah sie mir etwas näher an. Eigentlich müssten noch acht weitere Satanisten mit an Bord sein. Und natürlich der Priester. Ich war zu neugierig darauf, wie er wohl aussah. Ich war sicher, ich würde ihn an den Augen erkennen. Obwohl ich langsam durch die Reihen ging und mir alle Mitreisenden genau anschaute, die Augen, nach denen ich suchte, fand ich nicht. Wahrscheinlich flog er erster Klasse oder gar mit einem Privatjet.

Auch sonst sah keiner aus wie ein Satanist. Wie sollten sie auch aussehen? Zum ersten Mal wurde mir bewusst, dass man einen Satanisten nicht erkennen kann. Höchstens an seiner Tätowierung am Oberarm, aber die ist natürlich von der Kleidung verdeckt. Der Geschäftsmann im grauen Anzug, der gelangweilt in seiner Financial Times blättert, könnte genauso gut einer meiner Glaubensbrüder sein wie der langhaarige Typ in Jeans und T-Shirt drei Reihen hinter ihm.

Vierzehn Stunden Flug. Essen, Video gucken, Musik hören, schlafen, essen – am Ende konnte ich nicht mehr sitzen. Vom Flugzeug ging es direkt in den Flughafen. Riesige Hallen, vornehm kühl. Klimaanlage. Als wir endlich durch die Glastür nach draußen traten, schlug mir eine Hitzewelle entgegen, die mich fast umwarf. Innerhalb von Sekunden war mein Körper von einer feuchten Schicht überzogen. So etwas hatte ich noch nicht erlebt. Fünfundachtzig Prozent Luftfeuchtigkeit in Miami, das hatte ich zwar im Bordmagazin gelesen, doch erst jetzt wurde mir klar, was das bedeutet. Sogar beim Einatmen merkte man, wie warm und feucht die Luft doch war. Mir sollte es recht sein. Ich war in Miami. Und in Deutschland war es noch kalt, trüb und regnerisch. Gut gelaunt sah ich mich um.

Wir wurden abgeholt. Und es war sofort klar, von wem. Auf der gegenüberliegenden Straßenseite stand eine schwarze Limousine. Der Kerl, der lässig an der Motorhaube lehnte, musste ein amerikanischer Scherge sein. Enge, schwarze Jeans, schwarzes T-Shirt mit herausgerissenen Ärmeln, Cowboystiefeln (bei der Hitze!?) und um den Hals ein Lederband mit einem fünfzehn Zentimeter großen Satanistenkreuz aus Silber.

Auch Peter hatte den Bodybuilder erspäht. Wir überquerten die Straße. »Praise the devil«, sagte Peter. Der Typ nickte cool. »You're from Germany?«, und ohne die Antwort abzuwarten, öffnete er die Wagentür. Wir schmissen unsere Reisetaschen auf die eine Sitzbank und nahmen auf der anderen Platz. Aufgeregt flüsterte ich Peter zu: »Guck doch mal, wie der seine Tätowierung zur Schau stellt.« Fett und frech prangte das Pentagramm mit den drei Sechsen auf dem stahlharten Muskel seines breiten linken Oberarms. Der Kerl hatte mich damit tief beeindruckt. Aber Peter bedachte mich nur mit einem mitleidigen Lächeln. »Du wirst dich hier noch öfter wundern«, meinte er gönnerhaft, »die Amis sind viel offener als wir. Viel toleranter. Da kann jeder seinen Glauben zur Schau stellen. Niemand wird sich daran stoßen. Man geht ihm höchstens aus dem Weg.«

Tolles Land. Wir fuhren auf eine Autobahn Richtung Fort Lauderdale. Sechsspurige Autobahnen und dann dieses Stadtbild, diese Wolkenkratzer. Es war fast zu viel für mich. Kein Vergleich mit den Bildern im Fernsehen. Die Wirklichkeit erschlug mich fast. Wahrhaftig. Ich war in Amerika.

Unser dämonischer Chauffeur fuhr uns direkt zu den Docks ins Hafengebiet von Fort Lauderdale. Dort erhielten wir Kutten, eine deutsche Fassung des sechsten und siebten Buch Mose und das obligatorische Kreuz aus Knochen. Schließlich hätten wir diese Utensilien auch schlecht aus Deutschland mitbringen können. Wenn es auch den Amis egal gewesen wäre, die Deutschen hätten uns im Falle einer Kontrolle dann wohl nicht mehr ins Land gelassen. Oder sie hätten uns zumindest unangenehmen Verhören unterzogen. Ansonsten war alles genau wie zu Hause, nur die Kutte war viel dünner. Das war auch gut so. Denn die feuchte Hitze, die mich schon am Flughafen fast plattgemacht hatte, blieb uns auch nachts erhalten. Jedes Stück Stoff am Leib war eigentlich zu viel.

An diesem ersten Abend ging alles sehr locker zu. Unsere amerikanischen Brüder hatten uns zu Ehren ein Grillfest organisiert. Wir wurden herzlich aufgenommen, jeder wollte sich mit uns unterhalten. Mit den paar Brocken Englisch, die ich konnte, kam ich zwar nicht weit, doch meine Gesprächspartner schien das nicht weiter zu stören. Peter dolmetschte für mich, so gut es eben ging, doch meistens war er selbst in ein Gespräch verstrickt. Trotzdem genoss ich diesen Abend sehr. Diese Art von geselligem Beisammensein der Glaubensbrüder war neu. Bei uns in Deutschland wäre dies undenkbar gewesen. Da wurde immer nur auf Disziplin geachtet. Und dazu gehörte auch, dass man sich privat nicht näher kam. Später in der Nacht entwickelte sich dieses Fest noch zu einer Orgie – und ich zog mich zurück.

Mit Nudelsalat und einem himmlich gewürzten Steak vom Grill machte ich es mir auf einem der Landungsstege bequem. Das Treiben um mich herum interessierte mich nicht. Schließlich kannte ich hier keinen, also brauchte ich mich wohl auch nicht zu beteiligen. Leichter Fischgeruch stieg vom Wasser zu mir auf, zufrieden und glücklich sog ich ihn tief in meine Lungen. Ob das Meer wohl überall so riecht? Leise schlugen kleine, zahme Wellen gegen die Stützpfeiler unter mir. Draußen auf der See lagen zwei riesige Ozeandampfer vor Anker. Sie sahen aus wie am Horizont aufgehängte Lichterketten. Tausende von Lämpchen beleuchteten die Umrisse der beiden Schiffe.

Plötzlich fröstelte mich. Ich drehte mich um – hinter mir stand mein Priester aus Deutschland. Verhüllt. Noch bevor er den Mund aufmachte, erkannte ich ihn an seinen widerlichen Augen. »Warum sonderst du dich ab?«, wollte er wissen. »Aber ich kenne doch hier niemanden, und außerdem verstehe ich kein Englisch«, versuchte ich mich zu rechtfertigen. Die Stimme des Priesters wurde leise und gefährlich: »Wann wirst du es endlich begreifen, Lukas? Wir sind eine Bruderschaft. Das heißt, jeder Satanist, egal ob aus England, Deutschland oder Amerika, ist dein Bruder. Also los jetzt, geh und such dir eine Schwester!« Er unterstrich diesen Befehl mit einem Tritt in meine rechte Niere. Widerwillig rappelte ich mich hoch und trottete zurück zu den anderen, um meine Pflicht zu erfüllen.

Am nächsten Morgen war ich früh wach. Peter schlief noch tief und fest. Doch ich wollte keine Minute länger in diesem Zimmer vergeuden. Voller Tatendrang sprang ich aus meinem Motelbett, duschte, zog mich an und lief hinunter zum nahen Strand. Morgens um sieben watete ich endlich und zum ersten Mal in meinem Leben ins Meer. Sogar ins warme Meer. Eigentlich hatte ich ja Angst vor Wasser, doch das seichte Ufer war zu einladend. Die Wellen liebkosten meine Beine und zogen mir bei ihrem Rückzug jedes Mal ein bisschen Sand unter den Füßen weg. Ein seltsames Gefühl. Aber so angenehm, fast wie eine Massage. Ich konnte gar nicht genug davon bekommen. Viel war noch nicht los um diese Tageszeit, nur einige verrückte Jogger waren unterwegs. Für verrückt hielt ich sie, da es auch morgens schon so heiß war, dass selbst gemächliches Gehen den Schweiß aus allen Poren trieb. Wie konnten die da noch laufen? Ich legte mich in den warmen Sand, ließ mir die Morgensonne auf den Bauch scheinen und war restlos zufrieden. Als ich wieder wach wurde, hatte ich zwei Stunden gepennt. Ohne meine Entspannungsmusik, ohne zugekifften oder voll gesoffenen Schädel war ich eingeschlafen. Und ich hatte nichts geträumt. Tief und traumlos waren die letzten zwei Stunden vergangen. So hatte ich mir Urlaub immer vorgestellt.

Doch kaum zurück im Motel, ging der Ärger los. Peter brüllte mich an: »Wo warst du? Du kannst doch nicht einfach abhauen. Schließlich bist du hier nicht im Urlaub, sondern auf einem Lehrgang. Und ich bin für dich verantwortlich. Wenn du dich noch mal so davonschleichst, mach ich dich alle!« Er knallte mir eine Mappe vor die Füße: »Hier, das ist dein Lehrstoff für diese beiden Wochen. Du hast zwei Stunden Ausgang pro Tag, um 19 Uhr beginnt der Kurs, um 22 Uhr ist täglich Messe, den Rest des Tages heißt es lernen, lernen, lernen. Und zwar hier in diesem Zimmer!«

Mit einem Stoßseufzer schlug ich die Mappe auf. Auf der ersten Seite: Verhaltensregeln für die Dauer meines Aufenthaltes. Unter anderem hieß es darin, dass ich mich in meinen »Freistunden« nur an einem bestimmten Abschnitt des Strandes aufhalten durfte. Das war ja schlimmer als im Heim! Die totale Kontrolle. Und: Am Strand könnten wir uns ruhig mit fremden Leuten unterhalten. Es wäre jedoch unsere Pflicht, diese neuen Freunde abends mit zur Messe zu bringen.

Was sollte das nun wieder? Lange brauchte ich nicht, um es zu verstehen. Unsere amerikanischen Kollegen arbeiteten bei den schwarzen Messen nämlich nur mit Menschenopfern. Und die sollten wir ihnen auf die »Komm-doch-mit-zur-Party-Tour« anschleppen. Wir mussten die Opfer, die später hingerichtet werden sollten, herbeilocken. Was für ein perfider Trick, wie abgebrüht das war. Doch woher bekommt man täglich einen Freiwilligen? Schwierig war es wohl nicht, denn sie kamen. Immer neue. Manchmal war es »ein neuer Freund«, den irgendjemand mitbrachte, manchmal waren es Obdachlose oder jugendliche Ausreißer, die man mit dem Versprechen auf ein gutes Essen, eine Party oder einen geilen Job in die Klauen der Satansdiener lockte. Sie wurden mit Drogen voll gepumpt und mussten dann für den Teufel ihr Leben lassen.

Wurden sie nur abgestochen oder erwürgt, hatten sie Glück gehabt. Der Hohepriester hier war eine widerwärtige Sadistensau. Nur zu töten reichte ihm einfach nicht. Er liebte es, seine Opfer zu drangsalieren, zu foltern, auszuprobieren, wie viel Schmerz, wie viel Demütigung sie ertragen konnten. Junge Mädchen waren seine Spezialität. Er ließ sie nie sterben, ohne seinen Samen in und auf ihnen verteilt zu haben. Als Ehrerbietung für Satan natürlich. Für mich war dieser Priester perverser Abschaum.

Nach der ersten Darbietung dieser Art herrschte gedrückte Stimmung in unserem Motelzimmer. Obwohl das alles für Peter nichts Neues war, wirkte er ziemlich mitgenommen. Sein einziger Kommentar an diesem Abend: »Du bist hier, um abgehärtet zu werden, Lukas. Wenn du Priester werden willst, musst du werden wie er.« Da musste ich kotzen. Als ich aus dem Badezimmer zurückkam, saß Peter immer noch wie versteinert auf seinem Bett. Ohne mich anzusehen, meinte er nur leise: »Keine Angst, ich verrate dich nicht.« In dieser Nacht schwor ich mir, niemals am Strand ein Mädchen anzumachen.

Zeit hatte ich dafür sowieso nicht. Während draußen die Sonne vom Himmel brannte, saß ich in der klimatisierten Kühle meines Motelzimmers und paukte satanische Begriffe, Symbole und die Namen und Bedeutung verschiedener Dämonen. Durch das Fenster warf ich ab und zu einen Blick auf die Strandpromenade, auf der sich zwischen Palmen und Geschäften glückliche, unbeschwerte Menschen tummelten. Wie oft wollte ich meine Unterlagen in eine Ecke schmeißen und mich unter diese Menschen da draußen mischen. So tun, als wäre ich ein ganz normaler Tourist. Doch meine Anwesenheit in diesem verdammten Zimmer wurde kontrolliert. Täglich, aber zu unterschiedlichen Zeiten, kamen Schergen vorbei. Steckten den Kopf durch die Tür, grinsten – für meine Begriffe schadenfroh – und verschwanden wieder.

Amerika hatte einen seltsamen Effekt auf mich: Die Nächte mit den schwarzen Messen, die Menschenopfer, ich verbannte sie einfach aus meinem Gedächtnis. Ich spürte schließlich weder Ekel noch Mitleid oder Entsetzen, während Unschuldige grausam abgeschlachtet wurden. Verbot mir jegliche Gedanken darüber. War das »Abhärtung«? Es war eben meine Realität, mein Leben. Ich konnte nichts dagegen tun.

Peter hatte viel mehr Freiraum als ich. Er musste nur an den Messen teilnehmen, ansonsten konnte er tun und lassen, was er wollte. Wie ich ihn beneidete! Ich konnte nur mein bisschen Freizeit auskosten und so viel Spaß wie möglich mitnehmen. Achtundzwanzig glückliche Stunden verbrachte ich in den vierzehn Tagen meines Amerikaaufenthaltes: die Freistunden. Wie gerne hätte ich auch geflirtet oder wäre auf die offene, freundliche Art der amerikanischen Jungs eingegangen. Doch ich wollte niemanden gefährden. Das war die einzige selbstverantwortliche Handlungsfreiheit, die mir geblieben war: Leuten, die mir sympathisch waren, aus dem Weg zu gehen.

Nach und nach jedoch erwachte wieder dieser ungemeine Machtkitzel: Die Entscheidung über Leben und Tod eines Menschen, meines Gegenübers, lag bei mir. Ich war ihnen allen überlegen. Diese Erkenntnis traf mich eines Tages wie ein Blitz. Wohltuend und stärkend breitete sich dieses Machtgefühl in mir aus. Satans Kraft hatte sich endlich bei mir eingefunden. Wie eine Erleuchtung war sie über mich gekommen. Das war sie: die Macht Satans. In Amerika habe ich gelernt, den Satanismus zu lieben und auf meinen Glauben stolz zu sein.

Von den dunklen Kräften der so oft zitierten und von Außenstehenden meist gefürchteten schwarzen Magie hatte ich bis zu diesem Zeitpunkt nicht viel mitgekriegt. Doch in Amerika hatte ich ein Erlebnis, das mir zeigte, wie sehr man bei diesem Glauben an den Teufel und seine Untertanen doch auf der Hut sein musste.

Es war kurz vor unserer Rückkehr nach Deutschland. Wie immer saß ich missmutig in meinem Motelzimmer und ging zähneknirschend den Lehrstoff durch. Ob ich darüber noch eine Prüfung ablegen musste? Niemand wollte mir diese Frage beantworten. Also büffelte ich weiter. Kurz nach meiner heiß geliebten Mittagspause bekam ich hohen

Besuch. Ein amerikanischer Priester begutachtete scheinheilig mein Zimmer, verstrickte mich in Smalltalk. Sein Deutsch war beachtlich. Je lockerer er mit mir plauderte und scherzte, desto unbehaglicher wurde mir.

Schließlich rückte er mit der Sprache heraus: »Lukas, ich bin hier, um dir die Macht unseres Glaubens näher zu bringen. Leg dich auf dein Bett und hör mir gut zu.« Erleichtert atmete ich auf und beeilte mich, der Anordnung des Priesters zu folgen. Er setzte sich ans Fußende des großen Bettes und fing plötzlich an, Englisch auf mich einzureden. Wusste er nicht, dass ich das nicht verstand? Ich machte ihn darauf aufmerksam, doch er winkte ab: »Hör einfach zu, du wirst alles verstehen.«

Ergeben schloss ich die Augen. War mir doch egal, wenn ich nur Bahnhof verstand. Seine Stimme war angenehm dunkel, freundlich. Monoton plätscherten die Worte an mir vorbei: »… in nomine nostri satanei«, hörte ich noch. Seine Verse wirkten auf mich wie eine Schlaftablette. Als seine Stimme lauter, fordernder und härter wurde, riss ich die Augen auf. Mann, hoffentlich war ich nicht eingeschlafen. Ich beeilte mich, ihn aufmerksam anzusehen. Der Priester beendete seinen Monolog. In seinen Augen war ein Ausdruck, ein Glitzern, das ich nicht deuten konnte. Irgendetwas zwischen Triumph, Überlegenheit und Schalk. Mit einem Ruck stand er auf und verschwand, ohne ein Wort der Verabschiedung. Ich tat diese seltsame Begegnung mit einem Achselzucken ab. Es hatte keinen Sinn, Fragen zu stellen, auf die man sowieso keine Antworten bekommen

würde. Als Peter gegen sechs vom Strand zurückkam, hatte ich den Besuch des Priesters schon vergessen.

Als ich am nächsten Morgen frisch geduscht und
gut gelaunt aus dem Badezimmer kam, lag Peter
noch gemütlich im Bett. Während ich mich anzog,
fixierte er mich mit einem unverschämten Zug um
den Mund. Was hat er nur? Was soll das? Ich beobachtete ihn aus den Augenwinkeln. Etwas lag in
der Luft. Nur was? Ganz cool bleiben, redete ich mir
zu.

Peter platzte fast. War es Neugier oder Mittei-
lungsdrang? Er würde schon damit rausrücken.
»Na?«, legte er los, »war's denn schön gestern?« Ich
musterte ihn verständnislos. »Was meinst du denn?
Gestern war ich hier. Wie immer.« – »Ja schon«, erwiderte Peter, »aber du hast doch gestern zwei Weiber gepoppt. Erzähl schon. Wie war's?« Der hatte sie
wohl nicht mehr alle. Langsam und deutlich, als
spräche ich mit einem Irren, erklärte ich ihm meinen
gestrigen Tagesablauf. »Ich war hier. Ich habe gelernt. Dann ist ein amerikanischer Priester gekommen und hat auf mich eingeblubbert. Okay, ich glaube, ich bin dabei eingeschlafen, aber das war alles.
Hier waren keine Weiber, und ich habe bestimmt mit
niemandem gepennt. Das wüsst ich doch!« Ich war
entrüstet.

Mit einem überlegenen Feixen im Gesicht stand
Peter auf. Holte seine Brieftasche aus seinen Jeans
und hielt mir zwei Polaroidbilder hin. Unglaublich!
Sie zeigten wirklich mich in eindeutigen Positionen

mit einer Brünetten und einer Rothaarigen. Ungläubig untersuchte ich die Beweisstücke. War das vielleicht eine Fotomontage? Doch es war eindeutig der Teppichboden dieses Zimmers, und die Weiber, mit denen ich es trieb, waren keinesfalls aus Pappe. Ich bemühte mich, zu begreifen, was hier vorging. Wie sollte das stimmen? Aber das war wirklich ich, der auf den Fotos zu sehen war. Ich. Meine Nackenhaare sträubten sich, es war zu unheimlich.

War so ein totaler Aussetzer möglich? Welche ungeahnten, dunklen Kräfte besaß dieser Priester, der mich gestern besucht hatte? Konnte er mich tatsächlich zu einem willenlosen Werkzeug degradieren und gleichzeitig mein Erinnerungsvermögen auslöschen? Offenbar. Die Bilder waren der Beweis dafür. Ich musste hier raus. Auf der Veranda klatschte mir die Hitze entgegen und erinnerte mich daran, dass es hier in Florida im Freien keine Abkühlung gab. Blind vor Schock rannte ich an den Strand und warf mich – in Jeans und T-Shirt – ins lauwarme Wasser. Ich hätte wohl besser im Motel kalt geduscht. Denn die Erinnerung wollte auch jetzt einfach nicht kommen. Verbissen grub ich im gestrigen Tag, versuchte die Begegnung mit diesen beiden Frauen hochzuholen – vergebens. Mein Kopf blieb leer, meine grauen Zellen hatten einen Pakt mit Satan geschlossen, ohne mich davon in Kenntnis zu setzen. Es war ein beängstigendes Gefühl.

Peter hatte auch keine Erklärung für mich, außer, dass sie dasselbe teuflische Spiel mit ihm getrieben hatten, als er das erste Mal in Amerika war. »Vergiss es, wir werden es nicht begreifen, bevor wir nicht selbst Priester sind«, riet er mir. Er hatte Recht. Es war sinnlos, darüber nachzugrübeln, zu welchen Gräueltaten man als willenloses Objekt wohl fähig wäre. Es könnte mich in den Wahnsinn treiben. Ich nahm mir nur vor, so schnell wie möglich die restlichen Prüfungen zu absolvieren.

Zurück in Deutschland konnte ich unsere nächste
Zusammenkunft kaum erwarten. Denn nach den
brutalen Opferungen, die ich in Amerika erlebt hatte, erschienen mir unsere Messen hier wie ein ge-
mütliches Familienfest, unser Priester geradezu wie
ein gütiger Vater. Und mein Priester-Vater hatte auch
gleich einen neuen Auftrag für mich: Ich sollte Membaris rächen. Membaris, die Frau, die er mir nach
meiner zweiten Prüfung geschenkt hatte, war von
einem Christenschwein belästigt worden. »Weise
den Ungläubigen in seine Schranken«, befahl er und
drückte mir ein Messer in die Hand. Kalt und
schwer lag der Metallgriff in meiner Hand. Es war
ein besonderer Dolch: Sein Schaft verjüngte sich
nach unten, die Schneide war hauchdünn und scharf
geschliffen wie eine Rasierklinge.

Ich griff mir Membaris, und ein Scherge fuhr uns
in die Stadt. Erst im Wagen herrschte ich sie an: »Du
zeigst mir jetzt den Kerl, der dich angemacht hat!«
Sie nickte ergeben. Lächelte sogar. Meine grobe Art
und die Entschlossenheit in meiner Stimme beein-
druckten sie offensichtlich. Und sie nannte dem Fah-
rer das Lokal, in dem sie dem Mann zuvor begegnet
war. Ich schickte sie hinein und befahl ihr: »Sieh
nach, ob er da ist.« Sie kam zurück und schüttelte

den Kopf. Nichts. »Aber er muss gleich hier sein, haben mir seine Freunde gesagt.« – »Gut, dann warten wir«, beschloss ich und setzte mich auf die Kneipentreppe.

Mein Herz pochte mächtig, doch diesmal war es Vorfreude, die mein Blut so heftig pulsieren ließ. Es dauerte nicht lange, und Membaris knuffte mich in die Seite: »Da ist er«, flüsterte sie aufgeregt und deutete verhalten auf einen ziemlich dicken Typen. Mit einer knappen Kopfbewegung schickte ich sie auf die Seite. Dann stand ich langsam auf. Breitbeinig versperrte ich ihm den Weg, während ich mir mit dem Messer gelangweilt den Dreck unter meinen Fingernägeln hervorpulte. Als er merkte, dass ich ihn nicht vorbeilassen würde, blieb er zögernd stehen. Richtig fett war er und ungepflegt und bestimmt einen Kopf größer als ich. Doch ich stand ja auf der Treppe, und unsere Gesichter waren auf gleicher Höhe. Trotz meiner sechzehn Jahre fühlte ich mich diesem Schwabbelpaket haushoch überlegen. »Ich höre, du hast meine Perle angemacht«, eröffnete ich den Schlagabtausch und ließ das Messer beiläufig in meine linke Hosentasche gleiten. Der Typ schüttelte den Kopf und schnaubte verächtlich: »Was soll der Quatsch? Mach dich nicht lächerlich, du kleiner Hosenscheißer. Los, geh mir aus dem Weg.«

Er streckte eine seiner Pranken aus und versuchte, mich zur Seite zu bugsieren. Blitzschnell drehte ich ihm seinen Arm auf den Rücken und riss ihn nach oben. Und sieh an, es tat ihm weh – er jaulte. Dicht an sein Ohr drängte ich mich und knurrte: »Du solltest etwas vorsichtiger sein, Fettarsch! Weißt du eigentlich, mit wem du dich hier eingelassen hast? Wir teilen unsere Frauen nicht mit Christenschweinen.« Mit meiner Linken fingerte ich das Messer wieder hervor und zog die Klinge quer durch sein Gesicht – von der Wange bis zum Kinn. »Schönen Gruß von Satan«, schnurrte ich noch und stieß ihn von mir. Er fiel, rappelte sich jedoch sofort wieder auf und betastete verdutzt sein blutendes Fleisch. Im Weggehen verpasste ich dem Trottel noch einen saftigen Tritt in die Nieren und stolzierte, vollends zufrieden, zurück zum Auto. Membaris dackelte brav hinter mir her wie ein Hündchen. War ich cool, Mann!

Auch der Priester war begeistert. Ich hatte dem Frevler, der meine Frau belästigt hatte, ein Mahnmal ins Gesicht geschlitzt. Ihn für die Ewigkeit gezeichnet. Teuflisch gut. Dabei hatte ich die Aktion vorher nicht einmal genau geplant. Ob das wohl eine Eingebung Satans gewesen war?

Das restliche Jahr verging wie im Flug. Ich war ein eifriger Satanist geworden, und der Priester ließ mich in Ruhe. Unsere Zusammenkünfte, egal ob Messe oder Lehrstunden, waren ein wichtiger Bestandteil meines Lebens geworden. Sie stärkten mein Selbstbewusstsein, gaben mir Kraft und so etwas wie ein Zuhause: Die Satanisten ersetzten mir die Eltern. Satan war mein Vater, er hatte mich erzogen. Und ich war stolz auf diesen Vater, denn ich hatte etwas Wesentliches begriffen: Das Wort »Satan« flößt den meisten Menschen Furcht ein. Prahle damit herum, und die wunderlichsten Dinge werden geschehen.

Wie zum Beispiel bei einem Fußballspiel, als ich mit einer Reihe anderer Hooligans festgenommen wurde. Natürlich wand und wehrte ich mich und versuchte den Bullen abzuschütteln, der mich zur grünen Minna schleifte. Schließlich wurden ihm meine Zicken zu dumm, und er drosch mir mit seinem Knüppel ins Kreuz. Ich grinste herablassend und ermunterte ihn, doch weiter zu prügeln. So eine Reaktion hatte er wohl noch nicht erlebt. Misstrauisch hielt er inne und beäugte mich von der Seite. »Die Schläge, die du mir zufügst, machen mich glücklich. Aber an dem Unglück, das ich über dich und deine Familie bringen werde, wirst du zerbrechen, wenn du mich jetzt nicht gehen lässt.«

Natürlich konnte er nicht verstehen, was ich meinte. Kopfschüttelnd packte er mich noch fester am Arm und schubste mich weiter Richtung Einsatzwagen – und ich erklärte mich ihm: »Ich bin Satanist, und ich werde dich vernichten. Wenn du Kinder hast, werden sie bald zu den Tausenden von Vermissten zählen, die nie wieder auftauchen.« Ich konnte zwar nicht wissen, ob er Familienvater war, aber ich spekulierte darauf. Um die dreißig dürfte er auf dem Buckel gehabt haben. Doch der Junge muckte nicht und verfrachtete mich scheinbar unbeeindruckt in den Wagen. Vor dem Bus baute er sich auf, ließ mich keine Sekunde aus den Augen und rief einen Kollegen zu sich. Immer wieder schauten sie zu mir herüber und musterten mich. Ganz klar: Sie quatschten über mich.

In meiner Jackentasche fand ich einen dicken, schwarzen Filzstift. Ohne die beiden zu beachten, malte ich hingebungsvoll ein großes Pentagramm auf die Fensterscheibe. Aus den Augenwinkeln kriegte ich mit, wie sich der zweite Polizist mit zustimmendem Nicken wieder entfernte. Der andere winkte mich zu sich, nahm mir die Handschellen ab und pfiff mich an: »Hau bloß ab hier!« – »Angst?« Ich konnte mir die Frage einfach nicht verkneifen. »Nein«, erwiderte er, »Angst nicht, aber du gehörst hier wohl nicht her. Mit Spinnern wie dir gibt's nur Ärger. Geh und lass uns in Ruhe!« Ich hatte gewonnen. Was für ein Sieg.

Diese Geschichte musste ich natürlich Peter erzählen, aber er dämpfte mein Triumphgefühl: »Wahrscheinlich war er einer von uns, deswegen hat er dich gehen lassen. Normalerweise wärst du wegen Widerstand gegen Vollstreckungsbeamte und Bedrohung drangewesen.« Argwöhnisch hakte ich nach: »In unserer Gruppe sind auch Polizisten?« Peter lachte schallend über meine bodenlose Naivität. Doch überraschend schnell wurde er ernst und raunzte mich an: »Was hast du denn geglaubt? Bei uns ist alles vertreten, was Rang und Namen hat: Rechtsanwälte, Politiker, Chemiker, Ärzte – wie, meinst du, könnten Satanistinnen Kinder gebären, ohne dass sie registriert werden? Nur mit Hilfe von Ärzten, die zu uns gehören. Wie meinst du, kommen wir unbemerkt an Hilfsmittel wie Säuren, mit denen man Leichen verschwinden lassen kann? Woher kriegen wir wohl die Drogen, mit denen sich die Leute in der Messe volldröhnen?« Erschrocken verschloss er seine Lippen mit den Fingern. Er hätte wohl besser schweigen sollen, aber nun war es raus. »Vergiss das sofort wieder, ich habe schon viel zu viel gequatscht.« Ich sollte es offenbar nicht wissen, ich durfte nicht. Er traute mir immer noch nicht. Kapiert hab ich das nie, warum er so manche Dinge schlicht für sich behielt. Blöder Geheimniskrämer. Es war doch gut zu wissen, dass es in unserer Gruppe so viele einflussreiche, gut bezahlte und kompetente Leute gab.

Den ganzen Sommer hindurch musste ich Kleintiere töten – Anweisung vom Priester. Als Vorbereitung auf meine dritte Prüfung, meinte er, und Peter half mir dabei. Ich fing mit Hühnern, Enten und Kaninchen an. Sie zu töten, das berührte mich damals nicht weiter, so was wie Mitgefühl unterdrückte ich schlichtweg, da es sowieso viel zu viele Tiere gibt. Später quälte ich Katzen.

Tiere zu quälen hatte mir eigentlich niemand aufgetragen. Aber da war so ein Drang in mir: der Wunsch, herauszufinden, wie weit ich gehen konnte. Wie viel Schmerz und Leid ich einem anderen Lebewesen zufügen konnte, ohne dass es mich innerlich berührte. Das Ergebnis war großartig: Es klappte hervorragend, und ich war nicht die Bohne zimperlich. Ich war ihnen selbstverständlich überlegen, und diese Viecher waren mir hilflos ausgeliefert – das faszinierte mich ungemein. *Ich* hatte die Macht. Und diese Macht war wie ein Rausch. Aber da war noch mehr: Nicht nur das mörderische Spiel mit ihnen machte mich an. Mir wurde noch nicht einmal mehr übel dabei. Mein Gewissen war tot. Jede Hinrichtung bereits nach fünf Minuten wieder aus meiner Erinnerung gelöscht.

Und dann war da diese Geschichte mit dem Papagei. Heute kann ich mir kaum noch vorstellen, wie ein Mensch zu so etwas fähig sein kann. Der Papagei hieß Laura und gehörte einem Nachbarn meiner Eltern. Dieser Nachbar war Witwer, bekam nie Besuch und lebte sehr zurückgezogen. Der Vogel war das Einzige, was ihm noch geblieben war, sein Ein und Alles. Aber es gab ein dickes Problem mit Laura: Das ständige Gekreische des Viehs nervte die gesamte Hausgemeinschaft. Besonders im Sommer störte Lauras Spektakel, denn da durfte sie den ganzen Tag auf dem Balkon hocken. Der Vogel pfiff, krächzte, ahmte Geräusche nach und quasselte stundenlang vor sich hin. Von morgens bis abends. Sämtliche Mieter hielten sich die Ohren zu und fluchten, nur Lauras Besitzer war glücklich. Er liebte seinen Papagei abgöttisch.

Mir waren die Gefühle dieses Mannes scheißegal. Nur der Papagei interessierte mich. Gemeinsam mit Peter schlenderte ich auf das Haus meiner Eltern zu. Schon von weitem hörte ich Laura krakeelen: Sie saß auf ihrer Stange auf dem Balkon im Erdgeschoss und war offensichtlich allein, denn die Balkontür war geschlossen. Ein sicheres Zeichen, dass ihr Herrchen nicht zu Hause war.

Es war einer dieser schwülen Sommertage, an denen zur Mittagszeit kein Mensch unterwegs ist. Die Gelegenheit war also günstig. Peter hievte mich per Räuberleiter über die Brüstung, ich zog ihn nach. Laura flatterte und pfiff aufgeregt, als sie so plötzlich und unerwartet Besuch bekam. Wegfliegen konnte sie nicht, mit einem Fußkettchen war sie an ihre Stange gefesselt. Laura war leichte Beute. Ich fackelte nicht lange und drehte ihr mit einem schnellen Griff den Hals um. Jetzt war sie endlich still.

Doch irgendwie reichte mir das noch nicht, ich war noch nicht ganz zufrieden. Verdrossen stierte ich auf den leblosen Haufen bunter Federn, der da zu meinen Füßen auf dem hässlichen Betonboden lag. Unentschlossen ging ich in die Hocke. Und wenn ich nun ... Bevor ich den Gedanken zu Ende gesponnen hatte, entfalteten meine Hände ein Eigenleben. Ich packte den toten Vogel am Schnabel und riss ihn sperrangelweit auf. Mit seinem Blut zeichnete ich ein Pentagramm an die Hauswand. Erst jetzt war ich zufrieden. »Los, komm, lass uns abhauen«, mahnte ich, aber Peters Füße klebten regelrecht am Boden. »Ey, Alter, los«, drängelte ich. Wir schwangen uns über die Balkonbrüstung zurück auf die Straße.

So richtig gut ging's mir. Fröhlich pfeifend, mit wippenden Schritten und guter Laune latschte ich durch die Sommersonne, Peter stumm und mit gesenktem Kopf. Erst im Auto fragte er mich: »Warum hast du das getan?« Aufmüpfig antwortete ich: »Weil es mir Spaß gemacht hat. Wenn ich nur daran denke, welchen Schock der Kerl kriegt, wenn er seine Laura findet ... die wahre Satanei!« Und mit lauerndem Unterton fügte ich hinzu: »Oder siehst du das anders?« Peter schüttelte angewidert den Kopf. Ich hatte den Eindruck, dass ich ihm langsam unheimlich wurde. Na und? Schließlich war er es doch, der mir von Anfang an eingeredet hatte, dass mir dieses rüde Leben bestimmt Spaß machen würde. Jetzt war es so weit. Mir tat es gut, sehr gut. Und mit einem Mal zog Peter sich zurück. Warum nur?

Im November meines zweiten Jahres als Satansdiener rief mich der Priester wieder einmal ins Hinterzimmer der Lagerhalle, in der wir immer noch unsere Messen feierten. Jetzt sollte ich lernen, wie man ein Opfertier schlachtet. Oh je! Mehr wagte ich in diesem Moment nicht zu denken.

Anhand einer Skizze erklärte er mir die richtigen Handgriffe. Wo man das Messer ansetzt, wie tief die Klinge ins Fleisch eindringen darf, ohne einen vorzeitigen Tod des Tieres zu verursachen. Wie man das Messer bei einem Bauchschnitt halten muss und woran man erkennt, dass man in die Nähe des Herzens vorstößt. Obwohl ich das Töten von Tieren geübt hatte, wurde mir doch einigermaßen mulmig. Denn in den Eingeweiden lebender Tiere hatte ich bisher nicht herumgewühlt, geschweige denn, dass ich mich mit ihrer Anatomie auseinander gesetzt hätte. Und dann musste ich mit dieser Nummer auch noch vor Publikum bestehen. Sicher geierte die Meute bloß darauf, dass ich mich blamierte.

Nach langer Zeit klopfte mein Herz zu Beginn einer Messe wieder wie wild und meine Handflächen wurden feucht. Es nutzte gar nichts, dass ich sie mir immer wieder unauffällig an meiner braunen Kutte abwischte. Endlich wurde das Opfertier hereingeführt. Die Schergen zurrten es auf dem Altar fest, und der Priester bestellte mich mit einer Handbewegung zu sich nach vorne. Ich hechelte regelrecht vor Aufregung, hoffentlich bemerkte er es nicht. Schließlich war dies die Feuerprobe für meine dritte Prüfung. Und er sollte nicht glauben, ich wäre noch nicht bereit. Auf einer Ablage neben dem Altar lagen etwa fünfzehn Messer unterschiedlichster Größen. Bedächtig wählte der Priester ein goldglänzendes mit etwa zwanzig Zentimeter langer Klinge aus. Dann übergab er mir die mit satanischen Zeichen reich verzierte Waffe. In meiner leicht zitternden Hand wog sie ungemein schwer. Jetzt war ich dran, jetzt musste ich mich beweisen, meine erste kultische Handlung. Mit einer aufmunternden Kopfbewegung forderte mich unser Obermacker auf, die rituelle Tötung zu vollziehen.

Zum ersten Mal führte ich einen sinnvollen Befehl aus. Lernte etwas, dass ich als Satanspriester können musste. Endlich war es so weit. Meine Zeit als Opfer war nun endgültig vorbei. Niemand würde mich mehr schlagen, mir sinnlose, menschenverachtende Befehle erteilen oder mich mit Ekeltraining quälen. Ich war auf dem Weg nach oben.

Es war ein Seufzer der Erleichterung, den ich ausstieß, als ich an den Altar trat. Da lag mein Opfer, alle viere von sich gestreckt und festgebunden bot es mir lockende Angriffsfläche. Völlig teilnahmslos registrierte ich die angstvoll hervorquellenden Augen des Schafes. Der Gedanke, dass ich so viel Macht über dieses Tier hatte, dass ich es töten konnte, putschte mich auf. Lukas, der Gnadenlose, so stachelte ich mich selbst an.

Präzise setzte ich das Messer drei Fingerbreit unter dem Brustkorb an und schob die Klinge fachgerecht durch die weiche Bauchdecke, wie es der Priester mich gelehrt hatte. Ohne mit der Wimper zu zucken. Dann konzentrierte ich mich auf den kraftvollen Ruck, mit dem ich dem Tier die Bauchdecke aufschlitzen sollte. Gar nicht so einfach, denn das Vieh zappelte und wand sich in Todesangst. Sein wildes Geblöke störte mich. Lenkte mich ab von der Durchführung meines Auftrages. Ich wurde wütend. Kaum noch Herr meiner Sinne packte ich das Schaf an den Ohren und schlug seinen Kopf wieder und wieder auf die Marmorplatte: Es sollte das Maul halten. Still sein und würdevoll sterben. Für Satan, meinen Herrn. Der Priester riss mich zurück. »Lass das und hol jetzt das Herz raus«, kommandierte er streng.

Ich zögerte. Wurde unsicher. Würde ich es auch finden? Der Priester hatte meine Gedanken erraten. Er legte seine Hand auf meine, und wir wühlten uns gemeinsam durch die warmen Eingeweide des Tieres. Das Herz, da war es, wir hatten es! Zusammen schnitten wir die Arterien durch und unterbrachen den Blutstrom.

Mit beiden Händen packte ich das glitschige, pulsierende Organ und zog es heraus. Nur für einen kurzen Moment fürchtete ich, es könnte mir entgleiten. Doch es gelang: Und mit einem gellenden Triumphschrei hielt ich es in die Höhe, so hoch über meinen Kopf, dass es alle sehen mussten. Blut rann mir in den Ärmel, bis in meine Achselhöhlen. Doch das war mir gleichgültig. Ich hatte es geschafft. Ich hatte ein Schafopfer vollbracht. Ich war der Sieger. Satan war mit mir.

Das Herz übergab ich dem Priester, und er wandte sich an die restlichen Jünger und die Meute: »Sehet den Sohn Satans. Er hat sich unseres Meisters würdig erwiesen und seine dritte Prüfung bestanden.«

Ich traute meinen Ohren kaum. War ich doch der Meinung gewesen, dass dies erst eine Generalprobe war, dass ich die Prozedur der rituellen Opferung erst üben müsste, bevor man mich zur dritten Prüfung zulassen würde. Stolz und gebauchpinselt erledigte ich die restlichen Handgriffe wie in Trance. Halsschlagader anstechen, Kelch darunterhalten, Blut auffangen. Übergabe des Kelches an den Priester. Gleich nach ihm durfte ich vom Opferblut trinken und die Hälfte des von mir eigenhändig herausgerissenen Herzens essen. Dabei wurde mir dann doch wieder schlecht. Es gab einfach Sachen, an die ich mich nie gewöhnen würde. Und dazu gehörte eindeutig das Verspeisen von rohen Eingeweiden.

Zurück im Kreis der Jünger, wartete ich ungeduldig auf das Ende der Messe. Mir war immer noch schlecht und auch etwas schwindelig, sodass es mir schwer fiel, ruhig und gerade stehen zu bleiben. Das war bestimmt das verdammte Herz. Wie Blei lag es mir im Magen.

Erschöpft wie nach einem harten Arbeitstag sank ich auf den Beifahrersitz in Peters Auto. Seine ohrenbetäubende Heavymetal-Musik ertrug ich nicht lange. Genervt drehte ich sie ab. Aber die Stille war genauso aufreibend. »Na, willst du mir nicht gratulieren?«, versuchte ich Peter aus seiner Reserve zu locken. Doch der winkte nur ab. Er schien erschüttert. Geringschätzig zuckte ich mit den Schultern. Soll er mich doch mal … War mir doch egal, was er dachte. Peter schwieg eisern. Erst vor der Haustür brach es aus ihm heraus: »Ich habe so etwas noch nie gesehen. Du warst so locker, so gleichgültig und unbeteiligt heute Abend. Bis jetzt hatte noch jeder, der diese Prüfung abgelegt hat, Schwierigkeiten. Niemandem ist es so leicht gefallen, ein Tier auf diese Weise abzuschlachten, wie dir. Mir auch nicht.«

Ich verstand Peter nicht. Irritiert fauchte ich ihn an: »Wieso? Wenn du Priester werden willst, dann musst du so was eben machen. Kommst du mir jetzt mit christlicher Moral, oder was?« Peter öffnete den Mund zu einer Antwort, doch ich hatte keinen Bock mehr. »Es interessiert mich nicht«, unterbrach ich ihn und schwang mich aus seiner Karre. Der gönnte es mir wohl nicht, dass ich bei dieser Prüfung besser abgeschnitten hatte als er. Bevor ich seine Autotür zuknallte, säuselte ich noch: »Danke fürs Heimbringen und – gute Nacht!« Es sollte zynisch klingen. Ob er es wohl gerafft hat?

Die nächsten Tage verbrachte ich in Hochstimmung.
Aufgekratzt und hocherhobenen Hauptes stolzierte
ich durch den Tag. Wirklich zu schade, dass es niemanden gab, vor dem ich mit meiner tollen Leistung
prahlen konnte. Ich hatte meine dritte Prüfung bestanden. Und zwar mit Bravur! Jetzt ging es aufwärts.

Nur wenn ich mich an Peters angewiderte Miene
erinnerte, stiegen lästige Zweifel in mir hoch. Doch
inzwischen war ich ein Meister im Verdrängen von
unangenehmen Bildern. Und meine gute Laune und
meinen phänomenalen Erfolg würde ich mir durch
ihn doch nicht vermiesen lassen. In den folgenden
Wochen kühlte sich unser vertrautes Verhältnis mächtig ab. Zwar nahm er mich nach wie vor in seinem
Wagen mit, doch stur vermied ich jedes klärende Gespräch. Auch Peter schwieg eisern – wie ich später
erfahren sollte, aus Angst vor mir.

Unsere Freundschaft vertrocknete Stück für Stück,
und das behagte mir nicht. Die lähmende Funkstille
zwischen uns nagte an mir, und ich spürte immer öfter, dass Peter mir fehlte. Ich erkannte, wie wichtig er
für mich war, welche große Bedeutung er für mich
hatte. In den letzten beiden Jahren war er mein einziger Vertrauter innerhalb der Sekte gewesen. Nur

mit ihm konnte ich Einzelheiten des Erlebten teilen. Dani und Tobias, meine einzigen Kontaktinseln außerhalb meines Geheimbundes, sollten auch nichts Näheres wissen. Über Details hätte ich mit den beiden niemals gesprochen. Es hätte sie zu sehr belastet und auch gefährdet.

Aber mit irgendjemandem musste ich schließlich reden. Also flüchtete ich mich in Selbstgespräche, weil ich diese betäubende Stille und Isolation nicht länger ertrug. Ich tat so, als redete ich mit Peter, brabbelte vor mich hin, dachte nach, diskutierte. Immer wieder war meine bravuröse Prüfung Thema, bis mich eine Frage nicht mehr losließ. Eine Frage, auf die ich keine Antwort bekommen konnte: Warum war Peter nicht längst Jünger vierten Grades? Er hatte seine dritte Prüfung doch schon vor meinem Einstieg hinter sich gebracht! Wieso lehnte er mich plötzlich so rigoros ab? War er neidisch? Es war das erste Mal, dass ich über jemand anderes, über ihn, nachdachte. Bis jetzt war ich viel zu sehr mit mir selbst beschäftigt gewesen. Doch es war mir gar nicht aufgefallen. Gar nichts war mir aufgefallen. Ein mir bislang unbekanntes, ungewöhnliches Gefühl übermannte mich: Ich machte mir Sorgen um jemanden. Um Peter. Er war mir immer ein guter Freund und Ratgeber gewesen. Vielleicht brauchte er mich jetzt, und vor lauter Hochmut hatte ich es nicht bemerkt. Sofort griff ich zum Telefon und rief ihn an.

Wir trafen uns in einem Park. Im Freien ist man am ehesten sicher vor unerwünschten Lauschern. An seinem bemühten Lächeln und seinem skeptischen

Blick sah ich gleich: Der traut mir nicht. Was auch nicht verwunderlich war, denn schließlich hätte auch ich inzwischen ein Spitzel des Priesters geworden sein können. Ein scheußliches Gefühl: Keiner von uns war jemals vor dem anderen wirklich sicher.

Doch ich wollte, ich musste Peter von meiner Loyalität zu ihm überzeugen. Über eine halbe Stunde redete ich auf ihn ein. Nur zögernd öffnete er sich mir. Dann endlich schien er mir zu glauben, dass mir seine Freundschaft mehr bedeutete als die Satanisten. Jetzt erst konnte ich die Frage loswerden, auf die ich selbst zuvor keine Antwort gefunden hatte: »Warum hast du seit meinem Einstieg keine Prüfung mehr abgelegt?« Er blieb stehen, sah mich lange und eindringlich an und fragte dann leise zurück: »Kannst du dir vorstellen, einen Menschen zu töten? So, wie du leichthin Tiere getötet hast?« Was diese Frage in mir auslöste, gefiel mir gar nicht.

Nicht weit von uns entfernt im Park beobachtete ich eine alte Frau, die nur mühsam einen Fuß vor den anderen setzte. Konnte ihr das Spazierengehen in diesem Alter noch Spaß machen? Und überhaupt, gibt es noch Freuden, wenn man so gebrechlich ist? Die hat doch ihr Leben hinter sich. Wahrscheinlich würde ich ihr einen Gefallen tun, wenn ich es beenden würde. Also – könnte ich sie töten? Niemals! Niemals! Wer war ich, eine solche Entscheidung zu treffen? Ich brächte es nicht fertig, obwohl ich sie nicht einmal kannte, sie mir nicht nahe stand, eben eine Fremde war.

Was sollte dann erst mit mir geschehen, wie würde ich mich fühlen, wenn mich meine Satansbrüder auf einen Bekannten oder Verwandten ansetzten? Solche gemeinen Schweinereien waren doch ihre Spezialität. Warum hatte ich nie daran gedacht? Warum hatte ich nie begreifen wollen, dass ich als Priester – und so einer wollte ich ja werden – ebenfalls Menschen hinzurichten hatte. Das war doch Ritual, das war doch ein Opfer für Satan. Daran glaubte ich. Ich konnte nicht fassen, wie blind ich gewesen war: Ich hatte nur gesehen, was ich sehen wollte, den beschwerlichen Rest hatte ich immer ausgeblendet. Mir blieb nur eine Erklärung: Meine ganze Kraft war dafür draufgegangen, mir einzureden, wie egal es mir doch war, was sich bei den Messen abspielte. Lukas, der Verdrängungskünstler, hatte sich nie erlaubt, daran zu denken, dass man als Priester auch Menschen töten musste. Peter sah mir wohl an, dass ich zutiefst schockiert und verunsichert war in diesem Moment. Vorsichtig gab er seine störrische Haltung auf, überwand sich und erzählte mir in brüchigen Sätzen seine Geschichte:

Seine dritte Prüfung hatte er nur mit Mühe und Not bestanden. Ihm war bei der rituellen Tötung des Opfertieres kotzübel geworden, und er hatte sich vor der versammelten Gemeinde übergeben. Den nötigen Mumm zur Durchführung seiner Aufgabe haben ihm die Schergen dann eingeprügelt. Doch seine Hand hat gezittert wie Espenlaub, als er dem Tier den Bauch aufschlitzen musste. Deshalb hatte das arme Vieh mehr gelitten als nötig, und in den darauf folgenden Wochen hatten ihn seine Schuldgefühle fast aufgefressen. Um diese schlechte Leistung wieder wettzumachen, musste Peter ein neues Mitglied anwerben. Mich. »Lukas, es hat mir immer so Leid getan, dass ich dich da reingebracht habe«, gestand mir Peter, »ich habe versucht, es dir leichter zu machen, wo ich konnte, ich hab doch gesehen, wie sehr du gelitten hast. Und glaube mir, es ging mir ganz schön dreckig dabei. Irgendwie habe ich immer wieder gehofft, dass wir es vielleicht gemeinsam schaffen würden, da auszusteigen. Aber jetzt, wo ich mitkriege, wie fasziniert du von all diesen Gräueltaten bist …« Er brachte den Satz nicht zu Ende.

Stumm liefen wir nebeneinander her. Die nasse Kälte dieses Novembernachmittags fraß sich durch meine Kleidung. Doch viel schlimmer noch war der kalte Horror, der sich in mir ausbreitete.

Nach einer Weile sprach Peter weiter. Leise und monoton, sodass ich große Mühe hatte, ihn zu verstehen. »Du erinnerst dich doch an unseren gemeinsamen Trip nach Amerika – du hast mich immer beneidet, weil ich mehr Freizeit hatte. Aber mein Lehrgang war grauenvoll.« – »Mir ist nicht aufgefallen, dass es dir schlecht ging«, wandte ich ein. Peter lächelte zynisch: »Mann, wir werden doch darauf gedrillt, keine Gefühle zu zeigen. Vom ersten Tag an. Das weißt du doch selbst am besten.«

Peter erzählte weiter, und mit wachsendem Entsetzen hing ich an seinen Lippen: Etwa drei Monate nach unserer Rückkehr aus Amerika bekam Peter den Auftrag, einen Menschen zu töten. »Auch wenn es ein Unbekannter gewesen wäre, ich hätte es nicht gekonnt«, sagte Peter. Er redete jetzt hastig, war total aufgewühlt: »Aber sie haben sich meinen Schwager als Opfer ausguckt. Meinen Schwager, Lukas! War ich zu oft mit ihm zusammen? Habe ich mich zu gut mit ihm verstanden? Hatte er sonst etwas verbrochen, das Satan gegen den Strich ging? Oder war es nur eine willkürliche Laune des Priesters zur Befriedigung seines kranken Geistes? Tausend Fragen habe ich mir gestellt, Lukas, doch klar war für mich nur eines: Ich kann es nicht tun!«

Peter war damals so verzweifelt gewesen, dass er nicht mehr zu den Messen gehen konnte. »Erinnerst du dich? Damals habe ich dich angerufen und dir gesagt, dass ich in Urlaub fahre. Weißt du das noch? In Wirklichkeit bin ich abgehauen.« Er hatte sich in eine andere Stadt abgesetzt. Hatte gehofft, dass man ihn nicht finden würde. Doch die Häscher des Priesters spürten ihn auf. Sie brachten ihn zurück, und er wurde bestraft. In einer außerordentlichen Sitzung unter Ausschluss der Gemeinde ketteten sie ihn auf dem Opfertisch an. Dann hat ihm der Priester mit einem Messer tiefe Schnitte in den Oberkörper geritzt. Er hat Salz hinein gestreut, damit sich hässliche Narben bilden. Und er hat die Wunden nach einem bestimmten Muster angeordnet, das Peter ein für alle Mal gezeichnet hat: als Gestraften der Satanisten. Jeder andere Glaubensbruder, der ihn je mit nacktem Oberkörper sehen würde, würde sofort erkennen, dass er mit Schande befleckt war. Dass man ihm nicht trauen kann, weil er schon einmal versucht hat, sich gegen Satan zu wenden. Peters Blick war leer und seine Stimme so hoffnungslos, als er hinzufügte: »In dieser Nacht haben sie meinen Willen gebrochen, Lukas, und sie haben mir mein Leben genommen, obwohl ich weiterleben durfte.«

Peter hatte verdammtes Glück gehabt, dass ihn die Schergen innerhalb von sechs Wochen gefunden hatten. Nur deshalb hatten sie ihm kein Pentagramm in die Brust geschnitten. Hätte er sich länger versteckt halten können, wäre er als Abtrünniger behandelt worden. Ich verstand das alles nicht: »Aber so ein Pentagramm tut doch weniger weh als all diese fürchterlichen Schnitte.« Peters Antwort war alarmierend: »Abtrünnige sind lebende Tote«, erklärte er mir, »mit dem Pentagramm auf der Brust kannst du zwar wieder nach Hause gehen, doch am nächsten Tag beginnt die Jagd auf dich. Sie werden dich hetzen, bis sie dich finden. Und sie werden dich finden. Du bist Freiwild, das Pentagramm auf deiner Brust gibt dich zum Abschuss frei. Die Meute ist ganz geil auf diese lebenden Toten, denn wer einen zur Strecke bringt, hat gute Chancen, in die Reihe der Jünger aufgenommen zu werden.«

Brutal, aber wirkungsvoll hatte Peter meinen brachliegenden Denkapparat wieder in Gang gesetzt. Niemals wollte ich einen Menschen töten. Niemals! Mit einem Schlag war mir klar geworden, wie gut es tut, einen Freund zu haben. Wie schön es ist, jemandem vertrauen zu können. Bedingungslos, so wie Peter. Satan hält nichts von Freundschaft. Er hat Unrecht, dachte ich trotzig. Warum sollte ich ihm glauben, dass Menschenopfer notwendig sind?

Spontan fiel ich Peter um den Hals und nuschelte verlegen: »Wir kriegen das schon hin. Wir werden zusammen aussteigen.« Doch Peter schüttelte nur resigniert den Kopf: »Stell dir das bloß nicht so einfach vor.« Er erzählte mir, wie oft er schon an Selbstmord gedacht hat. »Es ist der einzige Weg, um aus dieser ganzen Scheiße rauszukommen. Doch wenn ich mich umbringe, werden sie dich töten.« Denn das satanische Gesetz schreibt vor, dass der Letzte, der vom Selbstmörder in unsere Organisation reingebracht worden ist, auch sterben muss.« »Reicht Satan denn nicht die Opferung eines Verwandten?« Verzagtes Kopfschütteln von Peter. »Du bist dann automatisch ein Risikofaktor. Ich hätte dich ja vorher noch schlecht beeinflussen können.« Wir hatten uns auf eine Parkbank gesetzt, und Peter war ganz in sich zusammengesunken. Er flüsterte: »Nur deswegen habe ich es bis jetzt nicht getan, denn Angst vor dem Sterben habe ich nicht.«

Peter hatte sich mir offenbart, Peter hatte mich eingeweiht in seine Ausstiegsgedanken, und das galt als »Hochverrat« Satan gegenüber. Er warnte mich eindringlich davor, auch nur ein Sterbenswörtchen davon verlauten zu lassen. Und ich wusste selbst: Wenn ich damit zum Priester rennen würde, gäbe das für mich zwar einen fetten Pluspunkt, für Peter aber die Todesstrafe durch Folter. Er hatte Recht. Wir mussten abwarten. Erstmal weitermachen wie bisher. Wenigstens waren jetzt die Fronten zwischen uns geklärt. Wir würden uns gegenseitig helfen und wenn nötig wieder aufrichten. Keiner musste mehr vor Verrat zittern. Wir konnten einander wieder vertrauen.

An diesem Abend habe ich eine Flasche Southern Comfort gekillt. Bier hatte für mich schon lange seine beruhigende Wirkung verloren. Ich brauchte etwas Stärkeres, um mein aufgewühltes Gemüt zu beruhigen und den nötigen Schlaf zu finden.

Doch am nächsten Morgen waren meine Gehirnwindungen wieder voll im Einsatz. Einen Menschen töten. Einen Mord begehen. Das war doch etwas ganz anderes, als einem Vieh den Hals umzudrehen. Tiere können nicht denken, oder zumindest können sie nicht kombinieren. Sie sind dumm und vertrauensselig. Menschen dagegen sind misstrauisch. Wenn man sie hart anpackt, schreien sie Zeter und Mordio, wehren sich. Und dann noch die Babys! Unschuldige Wesen, so schutzbedürftig. Niemals. Niemals würde ich so etwas fertig bringen. Warum hatte ich je davon geträumt, ein Satanspriester zu sein? Hatte ich wirklich so ein dickes Brett vor dem Kopf gehabt, oder hatte ein magischer Bann des Priesters meine Gedankengänge blockiert? Und wenn es so war, Peter hatte sie wieder freigelegt. Es hatte keinen Sinn, darüber nachzugrübeln. Nur jetzt nicht durchdrehen! Ich musste weiter Begeisterung für das Sektenleben heucheln und auf eine Chance warten.

Daniela und Tobias waren zu dieser Zeit mein einziger Kontakt zur Außenwelt. Die einzigen normalen Menschen in meinem Leben. Dani war meine engste Vertraute. Natürlich erzählte ich ihr keine Details aus meinem anderen, dem bösen Leben. Doch ich konnte bei ihr meine zwiespältigen Gedanken sortieren, durfte meine Zweifel an der satanistischen Lehre in Worte fassen und konnte mich hängen lassen, entspannen. Sie war da für mich, gab mir die Bestätigung, als Mensch akzeptiert und gemocht zu werden. Für mich war sie eine Insel der Ruhe, ja Seligkeit, zu der ich mich retten konnte, wenn die

Wogen des Bösen drohten, über mir zusammenzuschlagen.

Mit Tobias dagegen gab es harte Diskussionen. Er wollte mir einfach nicht glauben, dass wir nicht einmal zu dritt eine Chance gegen dieses teuflische Pack haben würden. Er war geradezu besessen von der Idee, mich da endlich rauszuholen. Nicht zuletzt auch, weil er seine Schwester ins Unglück rennen sah. Jedes Mal, wenn wir uns trafen, fragte er mir Löcher in den Bauch. Wo unser Treffpunkt sei, woran man einen Satanisten erkenne, an welchen Tagen wir zusammenkämen, ob ich den Priester auf der Straße wieder erkennen würde und so weiter. Er wusste, dass er mit diesen Fragen bei mir auf taube Ohren stieß. Trotzdem ließ er nicht locker. Ich versuchte ihm klar zu machen, dass er sich allein durch diese Fragerei gefährden würde. Immer wieder, wenn wir unterwegs waren, warnte ich ihn: »Halt endlich die Klappe, du weißt nie, wer neben uns sitzt und zuhört!«

Es war ein trüber Novembertag, als ich wieder einmal losschlurfte, um mich mit Daniela und Tobias in unserer Stammkneipe zu treffen. Fünf Uhr nachmittags und schon stockdunkel. Ich fluchte vor mich hin. Missmutig und ohne die beiden richtig anzusehen, knurrte ich ein kaum vernehmbares »Hallo« und lümmelte mich mit gesenktem Blick auf die Bank an unserem Tisch. Dieser nasskalte November machte mich fertig. Total depressiv war ich und schob es auf das widerliche Wetter. Normalerweise quatschten die beiden immer direkt auf mich ein, doch diesmal kam gar nichts. Irritiert guckte ich hoch. Auf dem Tisch stand eine Flasche Schampus. Fragend schaute ich von Dani zu Tobias und von Tobias zu Dani. Die beiden sahen aus, als hätten sie gerade im Lotto gewonnen. Sie grinsten wie Honigkuchenpferde, fixierten mich dabei stumm und erwartungsvoll. Ich seufzte gelangweilt und machte eine schlappe Handbewegung in Richtung Champagner: »Okay, was soll das?« – »Wir gehen nach Amerika«, platzten sie fast gleichzeitig mit ihrer großen Neuigkeit heraus. Und Tobias fügte hinzu: »Und wir wollen, dass du mitkommst.«

Meine beiden Bodybuilder hatten von einem amerikanischen Promoter das Angebot bekommen, in Kalifornien zu trainieren und zu arbeiten. Ein lange gehegter Traum war für sie endlich Wirklichkeit geworden. Und Tobias drängelte: »Du kommst mit, Lukas. Keine Bange, anfangs füttern wir dich mit durch, und wenn du erst mal da bist, findest du bestimmt auch schnell einen Job.«

Da war sie, die Chance, auf die ich immer gewartet hatte. Die einzige Lösung außer Selbstmord. Eine viel bessere natürlich. Amerika. Land der unbegrenzten Möglichkeiten. Auch ohne Aufenthaltserlaubnis. Mit Hilfe meiner Freunde würde ich es schon schaffen. Doch dann wuchsen die Zweifel. Wollte ich wirklich weg? Warum spürte ich mit einem Mal so etwas wie Trauer bei dem Gedanken, meine Glaubensbrüder für immer zu verlassen? Eigentlich ging es mir doch gut hier. Die Anerkennung innerhalb der Sekte war sehr wichtig für mich. Wenn ich mit Tobias und Daniela nach Kalifornien ginge, würde ich ganz von vorne anfangen müssen. Da kannte ich niemanden außer die beiden. Und ich konnte kein Englisch. Wie sollte ich denn da zurechtkommen? Kaum hatte ich meine Zweifel ausgesprochen, wurde ich von meinen Freunden mit Gegenargumenten zugeschüttet. Das war mir alles zu viel. Ich bat um Bedenkzeit und schlug vor, das freudige Ereignis doch endlich zu begießen.

Am 9. Januar sollten die beiden fliegen. Ich hatte ihnen inzwischen klar gemacht, dass ich nicht mitkommen würde. Die offizielle Begründung war, dass ich erst meine Lehre beenden wollte. Dann, so hatte ich ihnen versprochen, würde ich nachkommen. Vor mir selbst allerdings musste ich eingestehen, dass ich es einfach nicht fertig brachte, Satan im Stich zu lassen. Warum das so war, blieb auch mir ein Rätsel.

Drei Tage vor ihrem Abflug bekam ich einen Anruf von Daniela: »Lukas, bitte komm schnell zu mir, es ist etwas Schreckliches passiert! Tobias ist tot.« Ich knallte den Hörer auf die Gabel und raste los. Dani war völlig aufgelöst, weinte und schluchzte jämmerlich. Kein klares Wort war aus ihr herauszukriegen. Also hielt ich sie fest, streichelte beruhigend ihren Rücken und wartete.

Arme Daniela. Als ob sie in ihrem jungen Leben nicht schon genug mitgemacht hatte. Ihre Eltern waren bei einem Verkehrsunfall ums Leben gekommen, da war sie erst vierzehn. Seitdem war der Bruder alles, was ihr an Familie noch geblieben war. Keine Großeltern oder sonstige Verwandte. Dadurch war Danis Beziehung zu Tobias noch viel enger als bei anderen Geschwistern.

Wann würde sie endlich aufhören zu weinen? Mir schwante Fürchterliches, und ich brannte darauf, ihr ein paar Fragen zu stellen. In der Hausapotheke fand ich Baldriantropfen. Die flößte ich ihr ein, und nach einer endlosen Weile wurden die Abstände zwischen ihren Weinkrämpfen länger. Endlich erfuhr ich, was passiert war:

Tobias war am Vorabend vom Training nicht nach Hause gekommen. Zu große Sorgen hatte sie sich nicht um ihn gemacht, denn manchmal blieb er über Nacht bei einem Freund. Erst als sie morgens aufwachte und er noch immer nicht da war, wurde sie unruhig. Während sie noch überlegte, was sie tun könnte, klingelte es an ihrer Wohnungstür. Draußen standen zwei Männer in Zivil, die sich als Polizeibeamte auswiesen. Sie teilten ihr mit, dass man ihren Bruder im Stadtpark tot aufgefunden hatte. Erschlagen. Und sie musste ihn identifizieren. Unter Tränen stammelte sie: »Oh, Lukas, er sah so schrecklich aus. Ich konnte sein Gesicht kaum noch erkennen. Wer tut so etwas? Und warum? Warum mein Bruder? Wie soll ich nur ohne ihn klarkommen? Jetzt habe ich niemanden mehr auf dieser Welt.«

Verzweifelt klammerte sie sich an mich. Äußerlich ruhig hielt ich sie fest, doch mein Herz raste, meine Gedanken überschlugen sich: Man hatte ihn erschlagen. Das war die Handschrift der Satanisten. Doch warum hatten sie ihn nicht beseitigt, wie all ihre anderen Opfer? War es eine Nachricht für mich? Eine Warnung? Warum waren sie so sicher, dass weder ich noch Daniela auspacken würden? Ich musste Gewissheit haben.

Am selben Abend, nachdem Dani erschöpft eingeschlafen war, schlich ich zu unserem Treffpunkt. Keine Menschenseele weit und breit. Das hatte ich auch nicht anders erwartet. Wochentags gab es keine Versammlungen. Trotzdem war mir unwohl zumute, als ich zielstrebig auf den verdammten Eisengitterzaun zusteuerte. Die Erinnerung an meine Aufnahmeprüfung ließ mich schaudern. Wie viele hatten vor und nach mir wohl schon an diesem Zaun gehangen? Waren wehrlos den brutalen Schlägen der Satanisten ausgeliefert gewesen? Und wie viele, fragte ich mich jetzt, waren dabei auch gestorben?

Langsam ging ich am Zaun entlang und betastete die einzelnen Gitterstäbe. Da! Ein Stab, von dem etwas abblätterte, das an meinen Fingern kleben blieb. Ich richtete den Strahl der Taschenlampe auf meine Hand. Dunkle, rötliche Teilchen. Das war keine abgeblätterte Farbe, das war getrocknetes Blut! Hektisch untersuchte ich die nächsten Stäbe. Auf dem Querstab weiter unten hatte sich noch mehr Blut angesammelt, es war noch feucht.

»Ich sehe, wir verstehen uns, Lukas!« Ich zuckte zusammen und fuhr herum. Es war der Priester. Flankiert von zwei Schergen stand er da. Drei dunkle, unheimliche Silhouetten im Mondlicht. Wo kamen die denn her? Trotz der Kieselsteine auf dem Weg hatte ich niemanden kommen hören. Als hätten sie sich aus dem Nichts an diese Stelle gebeamt. Etwa zwei Meter von mir entfernt verharrten sie – regungslos. Bedrohlich. Sie versperrten mir den Weg. Was wollten sie von mir? Hatte nun auch mein letztes Stündchen geschlagen? Warum nur? Warum?

Weder Tobias noch ich hatten irgendetwas getan, womit wir Satans Rache verdient hätten. Sollte ich es wagen, den Priester zu fragen? Ich nahm all meinen Mut zusammen und machte einen Schritt nach vorne, auf den Priester zu. Hocherhobenen Hauptes und mit fester Stimme stellte ich die Frage, die mir seit Danielas kläglichem Anblick heute Morgen auf der Zunge brannte: »Warum musste Tobias sterben?« Stille. Das einzige Geräusch war mein keuchender Atem. Ich kochte vor Wut. Zehn Sekunden? Zehn Minuten? Wie ein hypnotisiertes Kaninchen kam ich mir vor. Stand da, wartete, hoffte auf eine Antwort und konnte mich nicht rühren. Und dann wandte sich der Priester ab. Während er mit seinen beiden Dämonen schon in der Dunkelheit verschwand, hallte seine Antwort durch die Nacht. Gelangweilt klang seine Stimme, als hätte er diese Worte schon zu oft abgespult: »Er war ein Christ, Lukas. Er hat versucht, dich schlecht zu beeinflussen. Wir haben lange genug zugesehen.«

Das traf mich wie ein Hammer. Kraftlos sank ich in mich zusammen. Kauerte auf dem Boden, der Tobias' Blut aufgesogen hatte, mit dem Rücken gegen die Gitterstäbe gepresst, an denen er gestern meinetwegen zu Tode geprügelt worden war. Meinetwegen! Es musste endlich aufhören. Seit ich Satanist war, hatte ich nur Unglück über andere Menschen gebracht. Nichts als Leid, Schmerz und Hass hatte ich gesät. Und jetzt hatte ich auch noch den Tod eines guten Freundes auf dem Gewissen. Es wurde immer schlimmer. Schritt für Schritt hatten sie mich hineingezogen in ihren Sumpf aus Brutalität und

Perversität. Auch wenn ich meinen Vorteil hatte, auch wenn ich Macht gewonnen hatte, so war da doch ein ungeheurer Sog. Ich konnte diesem Sog vielleicht nicht mehr entkommen, doch ich durfte niemand anderen mehr mit hineinziehen. Egal, wie vorsichtig ich war, sie wussten alles. Sie hatten es mir wieder einmal bewiesen. Auf ihre widerlich anmaßende, menschenverachtende Art.

Jetzt wäre ich gerne mit Daniela nach Kalifornien gegangen, doch nun fehlte mir der Mut. Wahrscheinlich würden sie mich auch dort aufstöbern.

Ich brachte es nicht übers Herz, Daniela die Wahrheit zu sagen. Wer ihren Bruder getötet hatte und warum er sterben musste. Sie flog zwei Wochen später allein nach Los Angeles. Leicht fiel es mir nicht, ihr in dieser Zeit beizustehen. Ihre Trauer, ihre hilflose Suche nach Gründen für den Tod ihres Bruders waren unerträglich. Doch am schlimmsten war ihre Vertrauensseligkeit mir gegenüber, ihre Beteuerungen, wie dankbar sie doch sei für meine Hilfe. Ich biss die Zähne zusammen und lächelte. Für die Polizei blieb es wohl ein mysteriöser Mord, der nie aufgeklärt wurde.

Daniela musste ich versprechen, dass ich nachkommen würde, sobald ich meine Lehre beendet hätte. Ich habe sie nie wieder gesehen.

13

Nun landete ich doch in Amerika – allerdings nicht, um Daniela zu besuchen. Etwa drei Monate nach ihrer Abreise schickte mich unser Priester wieder über den großen Teich zu einem weiteren Lehrgang. Diesmal flog ich mit äußerst gemischten Gefühlen nach Fort Lauderdale: Einerseits freute ich mich auf das türkisgrüne, lauwarme Meer, den herrlichen Sandstrand und die verrückten jungen Leute auf der Strandpromenade, andererseits hatte ich irrsinnigen Schiss vor dem Unterricht.

Was auf mich zukommen würde, wusste ich auch diesmal nicht genau. Ich ahnte es, aber bestätigen ließ sich mein Verdacht nicht, denn aus Peter hatte ich keine Einzelheiten über seinen zweiten USA-Kurs herausbekommen können. Trotz unserer Vertrautheit wagte er es nicht, sich den eisernen Regeln des Satanismus zu widersetzen. Und ich als Eingeweihter musste das akzeptieren.

Es gehört nun mal zur Taktik der Satanisten, die Mitglieder über sämtliche zukünftige Ereignisse im Unklaren zu lassen. Das ist die einzige Möglichkeit, die Leute bei der Stange zu halten. Wenn sie schon vorher wüssten, was sie erwartet ..., vermutlich würden alle Prüflinge schnell die Kurve kratzen. Wenn ich zum Beispiel vor meiner ersten Prüfung gewusst hätte, dass ich einen lebenden Hamster würde essen müssen – ich wäre ganz bestimmt nicht hingegangen. Also blieben mir auch vor diesem Amerikatrip nur meine üblen Ahnungen und das Warten.

Aber ganz so naiv wie sonst immer war ich nicht mehr. Bei diesem Lehrgang konnte es sich nur um das Abschlachten von unschuldigen Menschen handeln. Doch auch diesmal schaffte ich es, mich um diese Einsicht herumzumogeln. Wieder schob ich diese düsteren, quälenden Gedanken beiseite. Verbot mir einfach, sie zu Ende zu denken. Lieber freute ich mich auf das kleine Stückchen Abenteuer in Form von Sonne, Strand und Palmen – das war einfacher und viel ermunternder. Schließlich hätte ich mir eine so kostspielige Reise ohne diesen Geheimbund niemals leisten können.

Es klappte nicht lange mit dem Verdrängen, denn gleich am ersten Kursabend wurden meine schlimmsten Befürchtungen bestätigt. Das Thema des Lehrgangs hieß: »Wie töte ich einen Menschen? Rituelle Tötung und Foltertechnik in Theorie und Praxis.« Und das zwei Stunden täglich, zehn Tage lang, in einem Kühlraum bei den Docks, wo auch die Messen abgehalten wurden. Ich biss die Zähne zusammen und konzentrierte mich darauf, jeden störenden, zweifelnden Gedanken aus meinem Kopf zu verbannen. Keine einfache Sache: Siedend heiß fielen mir nämlich wieder die telepathischen Fähigkeiten der amerikanischen Priester ein. Ich beschloss, bloß nicht aufzufallen. Vielleicht ließen sie mich dann diesmal in Ruhe.

Zuerst mussten wir die menschliche Anatomie büffeln. Das war schlimmer als in der Schule. Aber irgendwie war es doch spannend zu erfahren, welche Knochen man einem Menschen brechen kann, ohne ihn für immer zum Krüppel zu machen. Oder wie man Schläge so dosiert und platziert, dass sie zwar gehörig wehtun, aber keinerlei Spuren beim Opfer hinterlassen.

Die Foltertechniken dagegen fand ich reichlich beklemmend – zahlreiche, ausgefeilte Spielarten an Grausamkeit, die besonders Abtrünnigen blühen konnten. Zum Glück wurden die praktischen Übungen nicht an lebenden Menschen, sondern an Leichen durchgeführt. Im krassen Gegensatz zu all den Schauerlichkeiten stand das Fach Heilkunde. Da wurde nicht die Gewalt, sondern die Kraft der Natur gelehrt. Mit Erstaunen lernte ich da, wie man mit gewissen Kräutern innerhalb von Stunden offene Wunden verschließen und mit extra zusammengebrauten Tees und Salben Knochenbrüche in wenigen Tagen kurieren konnte. Jeden Abend, nach dem Unterricht, mussten wir auch noch eine schwarze Messe über uns ergehen lassen. Sie waren kurz, hart und brutal, denn die amerikanischen Priester gaben sich nicht mit lächerlichen Tieropfern ab. Täglich mussten sie ihre Allmacht demonstrieren, täglich präsentierten sie Satan ein Menschenopfer. Bei uns in Deutschland gab es das nur bei besonderen Anlässen wie Walpurgisnacht, Sonnenwende, Weihnachten oder besonderen satanistischen Festtagen.

Jeden Tag ein Toter. Ich begriff nicht, wie sie das hinkriegten. Warum war es für unsere amerikanischen

Glaubensbrüder so leicht, menschliche Opferware herbeizuschaffen? Wieso wurden diese Menschen nicht vermisst? Jeden Tag kaufte ich mir eine Zeitung und durchsuchte sie nach Bildern von Vermissten. Das Wort »missing« (vermisst) schlug ich dafür extra im Wörterbuch nach. Doch nicht eines der vielen Gesichter, die sich bei diesen nächtlichen Schlächtereien in mein Gedächtnis gebrannt hatten, tauchte je in einem Zeitungsartikel auf. Unsere Opfer blieben namenlos. Niemand suchte sie, niemand vermisste sie. Wie das sein kann, verstehe ich bis heute nicht. Darüber konnte ich nur spekulieren: Vielleicht hatte es etwas mit der großen Isolation und Vereinsamung vieler Amerikaner in den Großstädten zu tun. Millionen leben in riesigen, anonymen Singleapartmenthäusern nebeneinander, sie kennen sich weder, noch kümmern sie sich umeinander.

Die Ami-Priester nutzten die Messen allerdings nicht nur für qualvolle Hinrichtungen, manchmal wurde vorher auch noch bestraft. Aber kräftig. Eine dieser Züchtigungen habe ich miterlebt:

An jenem Abend erwischte es einen Abtrünnigen. Die versammelte Gemeinde, an die hundert Leute, bildeten ein etwa zwanzig Meter langes Spalier vom Eingang der Kühlhalle bis zum Altar. Ich wusste zwar nicht, was jetzt passieren sollte, doch ich reihte mich ein, ein paar Meter vom Altar entfernt. Niemand sprach ein Wort, die Atmosphäre war gespannt und erwartungsvoll.

Plötzlich flog die Eingangstür auf. Draußen standen zwei Schergen, die einen zappelnden Mann an den Armen fest hielten. Er trug nichts außer einer kleinen, weißen Unterhose. Sie katapultierten ihn über die Schwelle, und er landete auf allen vieren auf dem harten Zementboden der Halle. Als er sich wieder hochrappelte, sah ich seinen verängstigten, fast irren Blick. Seine halblangen Haare waren schweißverklebt. Angstschweiß, urteilte ich mit Kennerblick. Bei seinem unfreiwilligen Auftritt hatte die Menge zu grölen begonnen. Buhrufe und infame Beleidigungen wurden ihm entgegengeschleudert.

Doch dabei blieb es nicht: Mit Baseballschlägern, Knüppeln, Peitschen und Messern griffen einige der Satanisten den wankenden Mann an. Er versuchte, seinen Körper mit den Armen zu schützen, duckte sich weg, doch es gab kein Entrinnen aus dem Spalier: Hinter dem Abtrünnigen standen mit verschränkten Armen die zwei hünenhaften Häscher. Er musste hindurch, durch die Gasse aus geifernden, spottenden, prügelnden und hasserfüllten Unmenschen. Sobald der Mann zögerte weiterzugehen, verpasste ihm einer der Schergen einen unerbittlichen Stoß in den Rücken. Der Unglückliche stolperte vorwärts, schlagende, boxende, tretende Männer und beißende, kratzende Frauen trieben ihn weiter voran. Als er endlich bei mir ankam, torkelte er nur noch, fast besinnungslos und mit hängendem Kopf.

Fürchterlich war er zugerichtet: Messerschnitte hatten klaffende Wunden in seinen Körper gerissen, sein Gesicht war grün und blau geschlagen, seine Handgelenke und Arme angeschwollen, weil man ihm die Knochen zertrümmert hatte. Ich hatte keine Waffe bei mir, doch ich wollte den anderen in nichts nachstehen. Ich krallte mir diesen jämmerlichen Waschlappen und drosch und trat gezielt auf ihn ein, so, wie ich es gelernt hatte – bis man mich von ihm wegzerrte. Noch keuchend von der Anstrengung registrierte ich, dass sie ihn danach zum Altar schleppen mussten. Wahrscheinlich habe ich ihm beide Kniescheiben zertrümmert.

Mein Einsatz befriedigte mich, ich empfand große Genugtuung – und nicht ein bisschen Mitleid. Schließlich wollte sich der Kerl von Satan abwenden. Unseren Herrn und Meister verleumden. Da hatte es der Typ nicht besser verdient. Amerika hatte mich hart gemacht.

Die beiden Schergen hievten den geschundenen Kerl auf den Opfertisch. Sie ketteten ihn nicht einmal an, weglaufen konnte der sowieso nicht mehr. Jetzt erst erschien der Priester. Er reinigte den blutverschmierten Körper und murmelte dabei ununterbrochen lateinische Verse. Etwa eine Stunde lang. Auf Geheiß des Priesters trat dann einer der Dämonen heran und schüttete dem Ohnmächtigen einen Kübel voll Wasser ins Gesicht. Prustend und jammernd kam der Abtrünnige wieder zu sich. Ein letztes Mal. Denn jetzt vollzog der Priester mit einem Dolch die Hinrichtung. Dann war es endlich still.

Neben dem Lehrgang und den Messen hatte ich jede Menge Freizeit. Diesmal gewährte man mir genauso viel, wie sie Peter schon vergangenes Jahr genossen hatte. Tagsüber konnte ich tun und lassen, was mir Spaß machte. Niemand schien mich zu kontrollieren. Doch man gab mir unmissverständlich zu verstehen, dass ich für so viel Freizügigkeit auch »Opferware« heranzuschaffen hatte. Schließlich würde ich ausgiebig Zeit haben, geeignete Kontakte zu knüpfen. Wie das abzulaufen hatte, wusste ich: Man spricht junge Ausreißer oder Penner an, unterhält sich freundlich mit ihnen und lädt sie für den Abend zu einer Party an den Docks ein. Das Lockmittel, das bei solchen Leuten garantiert immer zieht: kostenloses Essen und Trinken. Sobald man mit seiner Neuerwerbung am vereinbarten Treffpunkt auftaucht, wird sie von den Dämonen des Herrn übernommen. Und wenn man sie dann bei der Messe wieder sieht, liegt sie mit Drogen vollgedröhnt auf dem Altar. Auf dem Weg ins Reich der Finsternis.

Aber auch diesmal habe ich dieses »Anschaffen« nicht fertig gebracht.

Okay, probiert hab ich's. Halbherzig suchte ich nach jemandem, der mir total unsympathisch wäre. Doch die Amerikaner waren alle so offenherzig und freundlich. Nicht einmal unter den Bettlern und Säufern fand ich einen Widerling. Einen, um den es nicht schade gewesen wäre. Doch wer war ich überhaupt, dass ich eine dermaßen schwer wiegende Entscheidung treffen konnte? Eine Entscheidung über Leben und Tod! Darüber, ob einer es wert war, weiterzuleben, und ein anderer nicht? Wenn ich mir wirklich eine Person ausguckte und sie ans Messer lieferte – ich wäre ein Mörder! Zumindest Anstiftung zum Mord hätte man mir dann anhängen können. Und das hätte mir schon gereicht, um mich selbst als Mörder zu fühlen. Auch wenn ich das Messer nicht selbst geführt hatte.

Außerdem waren wir in Amerika: Hier gab es noch die Todesstrafe. Wer wollte mir schon garantieren, dass meine »Brüder« mich im Ernstfall nicht an die US-Justiz verraten würden? Dann würde ich auf dem elektrischen Stuhl landen. Für ein Verbrechen, zu dem man mich gezwungen hatte. Würde ich das beweisen können? Nie und nimmer!

Verloren und nachdenklich stand ich am Strand von Fort Lauderdale, umgeben von lauter lebenslustigen, fröhlichen Menschen. Es war verrückt: Jetzt hatte ich sie endlich, die Macht über andere Menschen, über ein Menschenleben. Das, was ich immer gewollt hatte. Was ich zu brauchen meinte, um mich gut zu fühlen. Nur von mir hing es ab, ob das vielleicht sechzehnjährige Mädchen im bunten Bikini oder der langhaarige Typ da drüben mit dem Frisby heute Nacht sterben würden oder nicht. Aber warum spürte ich es nicht, dieses von unseren Priestern immer wieder prophezeite Hochgefühl? Es stellte sich einfach nicht ein. Da war nichts, meine Macht beflügelte mich nicht. Ganz im Gegenteil: Ich wurde von Minute zu Minute deprimierter. Immer tiefer geriet ich in eine ausweglose Zwickmühle: Auf der einen Seite bedrängte mich der immense Druck, so zu funktionieren, wie es die Priester befohlen hatten, auf der anderen Seite trieb mich mein Gewissen in die Enge.

Hilflos versuchte ich, eine Entscheidung zu treffen. Folge ich Satan oder meinem Instinkt? Mir wurde schwarz vor den Augen vor lauter angestrengtem Nachdenken … Ein riesiges, hässlich-graues Wolkengebilde verdunkelte plötzlich die Sonne. Die Menschen um mich herum schmolzen zu dürren, finsteren Schattengestalten. Die lärmende Geräuschkulisse schrumpfte auf ein weit entferntes Gemurmel zusammen. Mich fröstelte, Übelkeit stieg in mir auf. Meine Beine gaben nach, ich fiel auf meine Knie und kotzte in den Sand. Als ich wieder aufblickte, war alles wieder normal: Die Sonne brannte vom Himmel, und ich konnte die Menschen wieder klar erkennen.

Was war bloß passiert? War das Satan, der mir ein Zeichen schickte? Oder ein Drogen-Flashback? Wurde ich langsam wahnsinnig? Die Überreste meines Frühstücks im Sand bewiesen zumindest, dass ich mich tatsächlich übergeben hatte. Beschämt verscharrte ich sie. Leicht benebelt taumelte ich zum Ufer, legte mich ins seichte Wasser und überließ meinen Körper den warmen Wellen.

Da lag ich nun, mit weit abgespreizten Armen und Beinen, gähnte in den unendlichen, blassblauen Himmel und ließ mich von der Gischt kitzeln. Wie gut sich das anfühlte! Wie wunderschön war es doch, zu leben. Nein, ich würde es nicht tun. Niemand sollte meinetwegen sterben. Mein Entschluss war gefasst. Eine große Woge der Erleichterung und Zufriedenheit durchflutete mich. Mir fiel ein Stein von der Seele, und ich konnte wieder frei atmen.

Plötzlich bedeckte ein Schatten mein Gesicht. Ich blinzelte verunsichert, doch diesmal war es keine fantasierte Wolke, sondern ein hübsches Mädchen in einem äußerst knappen Bikini. Mir tränten die Augen. Verdammtes Salzwasser! Ich sprang auf und stammelte eine Entschuldigung: »Sorry – the water!«

Als ich endlich wieder klar gucken konnte, verschlug es mir den Atem. Vor mir stand ein zierlicher, braun gebrannter Engel mit dunklem, lockigem Rauschehaar. Sie sagte etwas und warf dabei lachend ihre Mähne in den Nacken. »Sorry, my English – not so good«, radebrechte ich und verfluchte meine Faulheit in der Schule.

»Du bist deutsch?« Der Engel sprach meine Sprache! Es stellte sich heraus, dass sie ein Jahr in der Nähe von Stuttgart als Aupairmädchen gearbeitet hatte. Vom ersten Moment an lachten und scherzten wir und unterhielten uns so toll, als hätten wir uns schon ein Leben lang gekannt. Eine herrliche halbe Stunde lang vergaß ich total, wer ich war und wo ich war.

Doch dann schoss es mir wieder in den Kopf: Mein verfluchter Auftrag! Neue Leute kennen lernen und gezielt abschleppen. Es war wie ein Schlag auf den Hinterkopf. Aber ich wollte doch niemanden einfangen und sie schon gar nicht! Ich musste hier weg. So schnell wie möglich. Nicht umsonst durften wir Satanisten uns nur an diesem bestimmten Teil des Strandes aufhalten. So konnten uns die Häscher besser kontrollieren. Wenn mich nun jemand mit Pamela gesehen hatte? Wie von einer Tarantel gestochen, sprang ich auf die Füße. »Entschuldige, ich habe eine Verabredung, die habe ich fast vergessen, bye, war nett«, stammelte ich. Ihre enttäuschte Miene verfolgte mich für den Rest des Tages.

Doch ich hatte das Richtige getan. Denn kaum war ich oben auf der Strandpromenade, wurde ich auch schon von zwei Typen gestoppt. Schergen! »Toller Fang – kommt sie heute Abend mit?« Was sag ich jetzt bloß? Eine Ausrede, mir muss eine Ausrede einfallen. Blitzschnell log ich drauflos: »Nee wieso? Die wollte doch nur die Uhrzeit wissen. Dann habe ich zwar versucht, sie anzubaggern, doch sie hat mich kaltschnäuzig abfahren lassen.« Gleichzeitig betete ich, dass sie mich nicht schon länger im Visier gehabt hatten. Misstrauisch beäugten sie mich. Ganz cool bleiben, redete ich mir zu. Sie fraßen meine Ausrede: »Na, dann musst du eben noch ein paar andere Mädchen anquatschen«, meinte der Ami-Scherge in seinem deutschen Kauderwelsch, »sonst gibt's Ärger heut Abend!« Ich schluckte. Scheiße! Aber lieber Prügel vom Priester einstecken, als den Tod eines Menschen auf mein Gewissen zu laden. Ich heuchelte Tatendrang und Pflichtbewusstsein und schob ab, zurück zum Strand. Pamela war zum Glück verschwunden.

Ich musste den Schergen Genüge tun – wenigstens zum Schein. Denn heute würden sie mich nicht mehr aus den Augen lassen. Aufmerksam sondierte ich die übrigen sonnenbadenden Frauen. Für mein Vorhaben brauchte ich einen bestimmten Frauentyp: schön, arrogant und selbstbewusst. So eine würde sich nicht so leicht ansprechen lassen, zum Teufel würde sie mich jagen. Und genau das wollte ich erreichen. Dann konnte ich mich später vor meinen »Brüdern« rechtfertigen, sagen, dass ich es versucht hatte, aber keine mitwollte.

Und ich erntete sie auch, die eiskalten Abfuhren, die derben Beschimpfungen und die genervten Blicke. Super ging's mir nicht dabei, aber ich konnte damit leben. Das Wichtigste war doch, dass ich meine Pflicht tat. In den Augen der Schergen. War es meine Schuld, dass die Mädels alle nicht auf mich abfuhren? Ich grinste mir einen. Es war ein gutes Gefühl, die gefürchteten Dämonen des Herrn auszutricksen.

Trotz alledem rechnete ich an diesem Abend bei der Messe eigentlich mit einer Bestrafung. Doch nichts geschah. Gegen Mitternacht machte ich mich deshalb fröhlich pfeifend auf den Heimweg. Doch weit kam ich nicht. Zwei Schergen fingen mich am Ausgang der Halle ab. Ruppig packten sie mich an den Oberarmen und schleppten mich zurück zum Altar. Der Priester wartete schon auf mich. Auf Englisch redete er auf mich ein. Wieso spricht der Englisch mit mir? Der weiß doch, dass ich dann nur Bahnhof verstehe, dachte ich unwillig. Ich wurde trotzig. Seinen kalten Blick erwiderte ich, hielt ihm stand. Ziemlich unerschrocken sogar. Irgendwann muss ich mein Bewusstsein verloren haben …

Als ich wieder zu mir kam, lag ich auf einer brettharten Unterlage. Nur weil sie so unbequem war, wurde ich wach. Benommen versuchte ich, mich zurechtzufinden. Wieso war ich eingeschlafen? Und wo war ich überhaupt? Verwirrt richtete ich mich auf und traute meinen Augen kaum: Mutterseelenallein lag ich auf einem verlassenen Landungssteg, der weit ins Meer hinausreichte. Um mich herum nur Wasser, nichts als Wasser. Der Morgen dämmerte bereits am Horizont, schlaftrunken blinzelte ich auf die Uhr: fünf Uhr morgens.

Wie lange war ich schon hier? Wie war ich überhaupt hierher gekommen? Verschlafen und leicht betäubt kramte ich in meiner Erinnerung. Es kostete mich ungeheure Mühe, kleine Gedankenfetzen zu einem Mosaik zusammenzufügen. Gähnende Leere in meinem Hirn. Mir fehlten die letzten fünf Stunden, kombinierte ich träge. Lange kauerte ich auf dem Steg, bis ich mein Gedächtnis nach und nach zurückgewann: Der Priester hatte wieder sein verdammtes Hypnosespiel mit mir getrieben.

»Oh nein, bitte nicht«, flehte ich inbrünstig. Doch es gab nichts mehr zu ändern, dafür war es zu spät. Der Priester beherrschte meinen Geist. Er benutzte mich als williges Werkzeug, und ich konnte nichts dagegen tun. Ich war ihm machtlos ausgeliefert – und das hatte er mir wieder einmal bewiesen: Denn ich fand mich hier irgendwo draußen, wusste weder, wie ich hier hergelangt, noch, was in den vergangenen fünf Stunden geschehen war. Zu welchen Schweinereien hatten sie mich diesmal benutzt? Würden sie mir am Abend wieder irgendwelche Bilder vorlegen, die mich bei widerlichen Sexspielen zeigten? Oder hatten sie mich für etwas anderes missbraucht? Aber wofür? Vielleicht hatte ich ja ... jemanden umgebracht?

Ich sprang auf und rannte los. Blindlings hetzte ich kreuz und quer durch die Docks. Das Leben in den Straßen erwachte langsam, und immer mehr Menschen kreuzten meinen Weg, doch ich nahm es kaum wahr. Erst als ich mich völlig verausgabt hatte, hielt ich inne. Atemlos. Versuchte mich zu orientieren. Ich brauchte einen Anhaltspunkt, um zu meinem Motel zurückzufinden. Sieben Uhr morgens war es, als ich es endlich erreichte.

Nur nicht anfangen zu grübeln, von allein komme ich sowieso nicht drauf, was in diesen fünf Stunden vorgefallen ist. Ablenkung ist das beste Mittel gegen Nachdenken. Pamela! Ich wollte nur noch eins: Pamela wieder sehen. Aber zuerst musste ich meinen knurrenden Magen beruhigen. Mit Heißhunger verschlang ich ein dickes, amerikanisches Frühstück: Rührei mit Speck, Würstchen, gebratene Champignons und Tomaten. Und jetzt zum Strand. Zum Teufel mit den Satanisten. Diese Frau musste ich einfach haben. Und spitzfindig würde ich dafür sorgen, dass sie mein Geheimnis blieb. Okay, Natalies Existenz hatten sie auch herausgekriegt. Doch in Deutschland hatten sie Monate Zeit gehabt, mir auf die Schliche zu kommen. Hier war ich nur noch eine Woche. Und die wollte ich genießen. Mit einer süßen, lebenslustigen Amerikanerin, die mich für einen netten Jungen aus Deutschland hielt.

Ihr grellbunter Bikini stach mir schon von weitem ins Auge, noch bevor ich sie selbst erkennen konnte. Ich lief zu ihr, beugte mich aber nur kurz über sie: »Hör zu, ich kann jetzt nicht bleiben, aber ich will dich unbedingt wieder sehen. Hier ist die Telefonnummer von meinem Motel. Ruf mich an, ja?« Dann schlenderte ich zurück zum Hotel.

Noch am selben Nachmittag trafen wir uns in einer kleinen, versteckt gelegenen Bar weitab vom Touristenrummel. Alles war genau so, wie ich es erhofft hatte. Wir konnten unsere Blicke nicht voneinander abwenden, und nach dem ersten Kuss ließen wir uns nicht mehr los. Doch ewig konnte ich nicht bleiben, die Lehrstunden riefen. Ich log sie an, dass ich mit einem Freund nach Amerika gekommen sei und den könnte ich schließlich nicht den ganzen Abend sich selbst überlassen. Mit traurigem Blick warb ich um ihr Verständnis: »Ich kann ihn doch jetzt nicht ganz allein herumziehen lassen. Nur weil ich das Glück hatte, dich kennen zu lernen«. Das leuchtete ihr ein. Sie gab mir ihre Adresse, und ich versprach, sie nach Mitternacht zu besuchen.

Pamela stellte keine Fragen, nahm mich einfach so, wie ich war. Wenn ich abends zu unseren Treffen ging, sah sie mir ganz bekümmert nach. Und sobald ich wiederkam, empfing sie mich glücklich strahlend, sodass mir ganz warm ums Herz wurde. Mit ihr war es genau so, wie ich es mir in meinem Wunschtraum von einem normalen Leben immer vorgestellt hatte. Eine Woche lang durfte Lukas diesen Traum leben. Dank Pamela. Ihre Liebe, die Wärme und Zärtlichkeit, die sie mir schenkte, halfen mir, die widerwärtigen praktischen Übungen des Lehrgangs und die Messen zu überstehen. Zweimal noch geriet ich während des Kurses in die Situation, dass mir einige Stunden fehlten. Doch ich hatte keine Zeit, mir darüber den Kopf zu zerbrechen. Und ich wollte es auch nicht.

Egal, was ich tat oder wo ich war, es zählte nur eines: Pam wartete auf mich. In ihren Armen war alles gut. Für Satan, Mord und Finsternis war kein Platz in meinem Liebestaumel. In Pams Armen konnte ich schlafen. Ohne Albträume, ohne Schweißausbrüche, ohne zwischendurch verängstigt hochzuschrecken. Wenn sie mich fest hielt, fühlte ich mich sicher und geborgen wie noch nie in meinem Leben.

Am Tag meiner Abreise wollte sie mich unbedingt zum Flughafen bringen. Wie gerne hätte ich ihre Gegenwart auch noch bis zur letzten Sekunde ausgekostet. Aber es war ja unmöglich, dass sie mich begleitete. Es bedurfte all meiner Überredungskunst, sie davon abzubringen. Das hätte noch gefehlt, dass einer der Dämonen am Ende unser Verhältnis entdeckte. Um sie zu schützen, log ich sie wieder an: »Ich hasse Abschiede in der Öffentlichkeit.« Wenigstens setzte ich jetzt nicht mehr ihr Leben aufs Spiel, denn das hatte ich ja eigentlich die ganze Zeit über gemacht. Natürlich hatte ich alle erdenklichen Tricks angewandt, um ungesehen zu ihr zu gelangen. Ich hatte alles getan, um etwaige Verfolger abzuschütteln. Anscheinend war mir das auch gelungen. Doch wenn ich mich von ihr zum Flughafen hätte fahren lassen, wären all meine Bemühungen, mein ganzes Versteckspiel, umsonst gewesen. Meine amerikanischen Brüder hätten sie bestimmt am Flughafengebäude abgefangen. Das durfte nicht passieren.

Im Nachhinein bin ich froh, dass wir uns in ihrem kleinen, gemütlichen Apartment verabschiedet haben. Wir haben beide geheult. Und Pamela wäre wahrscheinlich gar nicht imstande gewesen, danach noch Auto zu fahren. Es kostete mich all meine Kraft und Vernunft, Pamela zu verlassen. Wie sie so dastand, ein zitterndes, schluchzendes Häufchen Elend. Am liebsten wäre ich bei ihr geblieben. Doch wie so oft, wenn ich hilflos bin, flüchtete ich mich in Wut und wurde zornig. Am liebsten hätte ich sie angeschrien, ihr ins Gesicht geschleudert, dass ich ihren Schmerz nicht verdiente, dass sie mich einfach vergessen solle. Gleichzeitig machte es mich stolz und glücklich, dass ich, Lukas, der kaputte Teufelsanbeter, bei dieser Spitzenfrau solche Gefühle auslösen konnte.

Zurück zu meinem Motel nahm ich ein Taxi. Zum ersten Mal fuhr ich auf direktem Weg und kam bereits zehn Minuten später dort an. Sonst war ich immer bis zu einer Stunde im Zickzack durch die Stadt gegondelt. Beim Zusammenpacken meiner Habseligkeiten kochte wieder die alte Wut in mir hoch. Wut auf mich, auf meine Abhängigkeit, auf meine beschissene, ausweglose Situation. Blind vor Zorn schleuderte ich meine Klamotten in die Reisetasche, als wären sie schuld an meiner Misere. Unten im Foyer wartete derselbe Typ, der mich zwei Wochen zuvor vom Flughafen abgeholt hatte. Während der Fahrt versuchte er, sich mit mir zu unterhalten, doch ich ignorierte ihn. Auch auf dem Heimflug sprach ich kein Wort, sah niemanden an und verweigerte jegliches Essen. Meine Gesichtszüge waren zu einer Maske versteinert, genau wie mein Herz. Lukas, die Marionette. Lukas, ein lebender Toter.

14

Der Alltag in Deutschland fing mich auf. Ich funktionierte wieder. Aber ich merkte, dass ich diesmal in Amerika einen gehörigen Knacks bekommen hatte – und fing mit einem Mal an nachzudenken. All diese Leichen! All diese Opfer! Alles Menschen mit Träumen und Hoffnungen. Genau wie ich. Durch Pamela war mir bewusst geworden, dass Träume doch manchmal wahr werden können. Hätte ich mich umgebracht, wäre mir dieses Glück durch die Lappen gegangen. Und was haben all diese armen Menschen in ihrem jungen Leben versäumen müssen, nur weil Satan sie als Opfer gefordert hat. Weil sie das Pech hatten, einem machtgeilen Satanisten in die Hände zu fallen.

Das Leid und die Trauer drohten meinen Schädel zu sprengen. Ich hatte schreckliche Kopfschmerzen. In den USA war es mir noch gelungen, all die fürchterlichen Wahrheiten, Zweifel und Schuldgefühle zu verdrängen. Meine Liebe zu Pamela hatte mir dabei geholfen. Aber jetzt schlug diese Last über mir zusammen wie die mordenden Wellen einer Springflut und rissen mich hinunter ins grund- und uferlose Nichts. Lange, sehr lange hatte sich das Unheil über mir zusammengebraut, doch ich war blind dafür gewesen. Immer öfter fürchtete ich jetzt, verrückt zu werden, durchzudrehen. Nun, da ich wieder allein schlafen musste, war auch mein Albtraum wieder da. Der Mann mit dem Messer. Grotesker, hämischer und barbarischer als je zuvor.

Die letzte schwarze Messe, die ich in Amerika erlebt hatte, ging mir nicht mehr aus dem Sinn. Der amerikanische Priester hatte eine rituelle Tötung an einem Säugling vorgenommen. Und gerade mich hatte er aus dem Kreis der Jünger herausgepickt und gezwungen, jeden seiner Handgriffe genau zu verfolgen. Ich weiß nicht, ob es die Nähe zu dem Winzling oder meine Liebe zu Pamela war, jedenfalls ging bei mir plötzlich eine jahrelang gut verschlossene Klappe auf: Alles in mir bäumte sich auf. Alles. Er tötet ein unschuldiges Kind! Ein schutzbedürftiges Wesen. Grausam und erbarmungslos stieg wohl das erste Mal die brutale Wirklichkeit in meinem Bewusstsein hoch. Ich fühlte mich jämmerlicher als je zuvor, wenn es davon überhaupt noch eine Steigerung gab. Es war fast so, als würde er auch mich schlachten. Und doch stand ich tatenlos dabei, rührte mich nicht, muckte nicht auf, sagte nichts.

Der Priester schlitzte das schreiende Baby auf, riss ihm mit der Hand das Herz aus dem Leib, packte den Kadaver des Kindes und schleuderte ihn ins Feuer, als wäre er ein lästiges Stück Dreck. Während er noch stolz und überlegen auf dem Herzen herumkaute, bemerkte er ungerührt zwischen zwei Bissen: »So wird's gemacht. Merk es dir gut!« Ein leichtes Nicken gelang mir gerade noch. Bis ins Mark erschüttert und tief getroffen, verkroch ich mich auf meinem Platz. Meine Beine zitterten, ich kämpfte gegen die Tränen und fühlte mich schäbig wie ein Stück Scheiße.

Diese Erinnerung klebte an mir wie Fliegendreck. Ich konnte sie nicht abstreifen, so sehr ich mich auch bemühte. Schließlich versuchte ich herauszubekommen, warum mich gerade dieses Erlebnis so erschüttert hat. Warum mich diese rituelle Handlung so total umgehauen hat. Es war doch nicht die erste, die ich miterlebt hatte. Und Säuglingsopfer gehören auch in Deutschland zum Alltag eines Satanisten. Nein, es war diese eine Szene, die mich bis in meine Träume verfolgte: Der Priester wirft das tote Kind ins Feuer. Achtlos, verächtlich, angewidert. Ausgemustert wie ein Stück Müll. Es zählt nichts. Geringschätzig entledigt er sich eines unerwünschten, lästigen Überbleibsels seiner perversen Glaubensrituale. Nichts ist er wert, der Körper dieses kleinen Menschen, der nie eine Chance erhielt, ins Leben zu gehen. An jenem Abend hatte ich dieses Horrorbild zugekleistert, weggewischt, verbannt. Es war meine letzte Nacht mit Pam. Die wollte ich genießen.

Doch kaum zurück in Deutschland, stieg diese mörderische Szene aus der Verbannung wieder zu mir herauf. Sie verfolgte mich Tag und Nacht. Und ich war allein mit mir und meinem verkorksten Innenleben. Reden konnte ich mit niemandem darüber – aber sehr bald würde ich genau diese Tat begehen müssen. Denn meine Glaubensbrüder hatten mich doch auf diesen Kurs geschickt, um die rituelle Tötung eines Menschen zu lernen und um sie schließlich auch in die Tat umzusetzen. Ich würde also meine neu erworbenen Kenntnisse unter Beweis stellen müssen. Nein, nein und nochmals nein. Es war höchste Zeit, mich abzusetzen. Aussteigen! Irgendwie musste ich es schaffen. Koste es, was es wolle.

Warum hatte ich die blutrünstigen Wünsche Satans bisher noch nie in Frage gestellt? Wie ein Kopfamputierter hatte ich mich verhalten. Angefangen hatte alles nur damit, dass ich endlich mal stark sein wollte. Und da passte mir Satans Weltanschauung eigentlich prima in den Kram, ja, für mich war sie gar nicht so schlecht. Das Böse in mir rauszulassen hatte mir immerhin die Anerkennung gebracht, die mir bislang gefehlt hatte. Aber anderen Menschen nur Unglück. Alle hatten Angst vor mir.

Dieter aus meiner WG hatte mir bei einem Streit mal ins Gesicht geschleudert: »Du bist ja nicht normal, du bist der Teufel in Person!« Ein größeres Kompliment hätte er mir nicht machen können. Und so erwiderte ich großspurig: »Ich bin ihm zumindest schon mal begegnet.« So, wie er mich da ansah, wusste ich, dass er mir glaubte. Von diesem Tag an behandelten mich meine Mitbewohner mit Zurückhaltung. Für mich war es Respekt. Und es machte mir Spaß, sie zu verunsichern. Ich brauchte sie nur mit unbeweglicher Miene anzustarren, schon wurden sie unruhig, zappelten herum und suchten das Weite. Ein herrliches Machtspiel, von dem ich gar nicht genug bekommen konnte. Sie waren die Versuchskaninchen für die Möglichkeiten meiner Macht.

Doch auch von Fremden, die mir begegneten, bekam ich immer öfter zu hören, dass ich so seltsame

Augen hätte. Die weniger Feinfühligen nannten es einen »irren Blick«. Sie fühlten sich unwohl in meiner Gegenwart, und ich freute mich diebisch darüber. Peter hatte Recht gehabt. Satan hatte mir Macht gegeben. *Er* hatte mir zu dieser neuen Ausstrahlung verholfen. Und ich war so stolz darauf gewesen.

Doch jetzt fing ich ganz vorsichtig an, mich mit anderen Augen zu sehen. Lukas, die gefühlskalte Bestie. Der Unberechenbare, der Aggressive. War ich das wirklich? Oder war ich nur eine Marionette, an deren Fäden der Satanspriester zog, wie es ihm gerade passte? War ich tatsächlich »böse« und spielte im Alltag nur den »Guten«, oder war ich ganz tief drinnen doch »gut« und hatte die ganze Zeit nur den »Bösen« gemimt?

Warum verlangt Satan Menschenopfer? Was ist das für eine Macht, die man kriegt, wenn man jemanden umbringt? Wenn diese Macht so bedeutungsvoll wäre, hätte diese internationale Organisation von Teufelsanbetern doch schon längst die Weltherrschaft übernehmen müssen. Oder bekamen sie die vollkommene Macht über die einzelnen Mitglieder erst, sobald diese eine rituelle Tötung (ha! einen Mord!) vollbracht hatten? Mord ist schließlich ein Verbrechen, und wenn ich es begehe und jemand anderes weiß davon, dann werde ich erpressbar, dann bin ich der Sekte auf Gedeih und Verderb ausgeliefert. Peter hatte ja mal so eine Andeutung gemacht: »Was glaubst du eigentlich, wie die sich finanzieren?« Damals wollte ich es nicht hören. Steck den Kopf in den Sand, und es betrifft dich nicht, war meine Devise. Aber damit war es jetzt vorbei. Okay, Geld konnten sie von mir nicht kriegen, von meinem mickrigen Lehrlingsgehalt hätte niemand nach Amerika fliegen können. Aber sie würden mich zwingen können, für sie als Zuhälter oder Drogenhändler zu arbeiten.

Unentwegt zermarterte ich mir mein Gehirn. Gleichzeitig fing ich an, Kindern aus dem Weg zu gehen. Warum konnte ich nicht mal ihren Anblick ertragen? Warum bekam ich Schweißausbrüche in ihrer Nähe und musste meine Hände auf dem Rücken verstecken? War es die Angst, dass sie sich verselbstständigen könnten? Dass sie zupacken würden, ohne dass ich es noch steuern konnte? Was war in Amerika mit mir passiert? Was war abgelaufen in diesen Stunden, die mir fehlten? Bei meinem ersten Aufenthalt in Amerika hatte ich es mit zwei Frauen getrieben. Die Beweisfotos hatten sie mir gezeigt. Diesmal hatten sie meine bohrenden Fragen nicht beantwortet. Die Vorstellung, vielleicht schon getötet zu haben, trieb mich an den Rand des Wahnsinns. Ich redetet mir ein, dass ich dafür nicht verantwortlich sein könne. *Denn er wusste nicht, was er tat.*

Wenn ich nur mit jemandem hätte reden können! Eines Tages fasste ich spontan den Entschluss, dem Schreinermeister, bei dem ich in der Lehre war, mein Herz auszuschütten. Wir kamen gut miteinander aus. Er war ein freundlicher, verständnisvoller und gutmütiger Chef. Für mich war er fast so etwas wie ein Vater. Wir waren auf dem Weg zu einem Kunden, als ich mit meinem dunklen Geheimnis herausplatzte: »Ich bin Satanist!« Leider konnte der Meister damit gar nichts anfangen und meine Erläuterungen stießen bei ihm auf heftige Abwehr: »Hör auf damit, sonst kann ich heute Nacht nicht schlafen! Was hast du nur für eine grausige Fantasie, Junge! Davon kriegt man ja Albträume!« Er glaubte mir kein Wort. Warf mir lachend vor, ich hätte wohl zu viele Gruselvideos gesehen. Also lachte ich mit ihm und bestätigte seine Vermutung: »Sie haben mich durchschaut. Ich wollte nur mal testen, wie gutgläubig Sie sind.« Er sollte nicht merken, wie traurig und enttäuscht ich von seiner Reaktion war.

Wenn er mir nicht glaubte, wer sollte es dann tun? Ich musste mich damit abfinden, dass es für mich keine Hilfe gab. Niemand würde mir glauben. Also schleppte ich mich weiter von einem Tag zum anderen, von einer Messe zur anderen. Übersensibel und aggressiv war ich in dieser Zeit. Dass ich eine wandelnde Zeitbombe war, wusste ich noch nicht.

Es war ein Freitagabend. Peter und ich hatten uns in einer Musikkneipe auf ein Bier getroffen. Wir standen an der Bar, alberten herum und verteilten Noten an die anwesenden Perlen. Eine gefiel mir besonders gut. Sie saß mit zwei Freundinnen an einem Tisch am anderen Ende des Lokals und – auch sie hatte mich bemerkt. Während ich mich weiter mit Peter unterhielt, flirtete ich mit der unbekannten Schönen. Später schickte ich den Kellner mit einem Cocktail zu ihr hinüber. Ich beobachtete, wie er ihr das Getränk hinstellte und dann auf mich zeigte. Sie lächelte, stand auf und kam zu uns herüber.

Doch plötzlich war da dieser breitschultrige Kerl im Weg. Mit finsterer Miene steuerte er geradewegs auf mich zu. Ich fühlte mich bedroht. Was wollte der von mir? Hatte ich etwa mit seiner Freundin geflirtet? Jetzt stand er ganz nahe vor mir, die Hände zu Fäusten geballt. Mir war klar, dass er gleich losdreschen würde. Meine Hände fuhren hoch zu seinem Hals und drückten zu. Dann brach die Hölle los. Wie durch roten Nebel hörte ich gellende Schreie, fühlte mehrere Hände an meinem Körper und an meinen Armen. Sie zerrten an mir und rissen mich weg. Als sich der Nebel verzogen hatte, kauerte vor mir auf dem Boden die Kleine, mit der ich geflirtet hatte. Mit schmerzverzerrtem Gesicht rieb sie ihren Hals. »Was ist los? Was hat sie?«, fragte ich verständnislos in die Runde. Peter schrie mich an: »Du bist ihr an die Gurgel gegangen, du Idiot! Spinnst du?« Ja, dachte ich benommen. Das ist es wohl.

Ich streckte dem Mädchen meine Hand hin, um ihr aufzuhelfen. Doch sie rutschte nur ängstlich von mir weg. Dann rappelte sie sich hoch und verdrückte sich mit ihren Freundinnen möglichst weit weg von mir auf die gegenüberliegende Seite des Lokals. Fassungslos starrte ich hinter ihr her. Wo war Peter? Er stand am anderen Ende der Bar und diskutierte mit dem Kellner und dem Barkeeper. Er versuchte, die aufgebrachten Leute zu beruhigen. Dann stürmte er auf mich zu, griff mich am Arm und bugsierte mich nach draußen und schimpfte los: »Eine schöne Scheiße hast du dir da eingebrockt! Du hast Lokalverbot. Und du kannst froh sein, dass sie nicht die Polizei gerufen haben. Was hast du dir nur dabei gedacht? Seit wann gehst du auf Mädchen los? ...«

Wie betäubt ließ ich das Donnerwetter über mich ergehen. Als er endlich mal Luft holte, flüsterte ich kleinlaut: »Aber ich habe doch diesen Typ auf mich zukommen sehen. Er wollte was von mir, also habe ich ihn angegriffen. Ich schwör's, Peter! Die Perle hab ich gar nicht gesehen.«

Peter blieb ruckartig stehen, riss mich zu sich herum und sah mir forschend in die Augen. Dann seufzte er: »Mensch Lukas, was haben die nur mit dir gemacht in Amerika? Hast du öfter solche Aussetzer?« Ich erklärte ihm, dass mir eine solche Verwechslung zum ersten Mal passiert war, dass es jedoch schon mehrmals vorgekommen war, dass mir ein paar Stunden fehlten. »Und zwar ohne dass ich mir die Birne zugedröhnt hätte«, beeilte ich mich hinzuzufügen.

Leider war Peter genauso ratlos wie ich. Aber sein besorgtes Gesicht sprach Bände. Er kannte diese Anzeichen. Und er wusste, dass sie einen um den Verstand bringen konnten.

Ich für meinen Teil zog meine eigenen Schlüsse aus diesem Erlebnis: Lukas ist nicht mehr zurechnungsfähig. Er ist gefährlich und unberechenbar – Satans willenloses Werkzeug. Ich war so verzweifelt, weil ich mir selbst nicht mehr trauen konnte, dass ich Peter anflehte: »Bring mich um, bitte, Peter, bring mich um! So kann ich doch nicht weiterleben.« Doch Peter schüttelte den Kopf. Er hatte Tränen in den Augen, legte mir beruhigend den Arm um die Schulter und flüsterte eindringlich: »Du musst! Du musst!«

197

In dieser Nacht tigerte ich wieder rastlos durch die Wohnung. Normalerweise hätte ich mich von meiner Trancemusik einlullen lassen, um Schlaf zu finden. Aber schlief ich denn auch wirklich? Vielleicht zog ich massenmordend durch die Nacht. Schließlich war ich morgens immer völlig gerädert. Ich hatte solche Angst. Angst vor mir selbst. Wer war ich? Was wurde aus mir, wenn ich zu schlafen glaubte? Ich verfluchte Satan und flehte ihn im nächsten Moment doch wieder um Hilfe an. Bis jetzt war der Schlaf meine einzige Zuflucht gewesen. Jetzt musste ich sogar ihn bekämpfen. Und ich entwickelte einen Plan: Ich würde so lange wach bleiben, bis ich vor Müdigkeit umfiel. Denn dann erst würde mein total geschaffter Körper mein eigenständiges Unterbewusstsein bezwingen können und mich von ungewollten Taten abhalten. So hoffte ich zumindest.

Ich verbrachte eine schreckliche Nacht. Den Fernseher im Gemeinschaftsraum konnte ich nicht anstellen, weil das meine Mitbewohner gestört hätte. In meinem Zimmer mit Kopfhörern Musik zu hören, traute ich mich auch nicht: Dabei hätte ich ja einschlafen können. Also öffnete ich das Fenster und sah hinaus. Gierig sog ich die frische Nachtluft in meine verqualmte Lunge und genoss mit geschlossenen Augen die laue Brise. Da! Ein Knacken. Ich riss die Augen auf und sah einen menschlichen Schatten hinter einen Baum huschen. Da waren sie. Die Häscher des Priesters! Hatte mich Peter verraten? War es eine Routinebeobachtung? Oder hatte jemand meine Gedanken gelesen? Dann wussten sie bereits, dass ich dabei war, ihnen zu entgleiten.

Mit fahrigen Bewegungen verrammelte ich das Fenster und zog die dicken Vorhänge zu. Meine Hände zitterten so stark, dass ich es nur mit großer Mühe schaffte, eine Zigarette aus der Schachtel zu fischen. Auch die Flamme des Feuerzeugs ging x-mal aus, bevor ich es endlich mit Hilfe beider Hände schaffte, es lange genug ruhig zu halten. Und dann war es plötzlich vorbei mit der Stille im Haus. Überall knackte und knarrte es, Schatten hasteten von einer dunklen Ecke in die andere. Satans Dämonen waren gekommen. Sie beobachteten mich. Verrückt vor Angst sprang ich auf. Licht! Böse Geister hassen Helligkeit. Ich rannte von einem Schalter zum anderen und knipste sie alle an. Im Flur, im Bad, in der Küche und in meinem Zimmer.

Als Mike, mein anderer Mitbewohner, früh um sieben in die Küche geschlurft kam, hatte ich schon fünf Tassen Kaffee getrunken. Er stutzte: »Wie siehst du denn aus?« Böse starrte ich ihn an. Er sollte mich in Ruhe lassen. Mit einem gleichgültigen Schulterzucken wandte er sich ab. Er hatte kapiert.

Müde und zerschlagen schleppte ich mich ins Badezimmer. Es war Samstagmorgen. Heute Abend musste ich zur Messe. Sollte der Priester doch mit mir machen, was er wollte. Mich aufhängen, mir ein Pentagramm in die Brust schlitzen oder mich auf den Opfertisch legen. Mir war alles egal. Beim Blick in den Spiegel bekam ich einen Schock. Eine bleiche Fratze sprang mir entgegen, mit blutunterlaufenen, geschwollenen Augen und tiefen, schwarzen Ringen darunter. In meinem Blick nur Hoffnungslosigkeit. Die Visage eines achtzehnjährigen Lebensmüden, der aussah wie fünfzig.

Als ich abends bei der Lagerhalle ankam, war ich so überdreht und aggressiv, als hätte ich mich mit einer Überdosis Aufputschmitteln zugeknallt. Inzwischen hatte ich achtunddreißig Stunden nicht geschlafen. Ich war hibbelig, und es fiel mir ungemein schwer, stillzustehen.

Plötzlich bemerkte ich, dass ich angestarrt wurde. Ein Jünger, der auf der anderen Seite des Altars stand, beobachtete mich. Feindselig stierte ich zurück. Ein Regelverstoß des Bruders – auf den Priester sollte er sich konzentrieren, der Trottel. Doch sein Blick hing an mir wie eine Klette. Die Wut, die in mir hochstieg, konnte ich in meinem Zustand nicht lange beherrschen. Mit einem Satz war ich bei dem unverschämt glotzenden Kuttenträger und drosch hemmungslos auf ihn ein. Natürlich waren sofort zwei Schergen da und rissen mich weg.

Sie schleppten mich in die Kammer des Priesters, warfen mich zu Boden und sperrten mich ein. Ich tobte. Fühlte mich ungerecht behandelt. Wie entfesselt trat und boxte ich gegen die kahlen Wände, bis mir sämtliche Knochen wehtaten. Der brennende Schmerz vertrieb meinen Hass. Für meinen Überfall auf den Bruder würde mich der Priester bestrafen, das war klar. Aber ich würde dafür sorgen, dass der andere auch nicht ungeschoren davonkam. Einigermaßen beruhigt legte ich mich wieder auf den harten Betonboden. Schlafen! Die Messe würde bestimmt noch drei Stunden dauern. Und ich war eingesperrt.

Also konnte ich im Schlaf auch nichts anstellen. Ich fühlte mich sicher und nickte sofort ein.

Wegen meines Vergehens wurde ich für die nächsten zwei Wochen von der Messe ausgeschlossen. Die versäumten Messen aber sollte ich mir nachträglich per Video reinziehen. Bestimmt kein Problem für jemanden, der allein lebt. Doch wie sollte ich mir in meiner WG solche Videobänder ansehen? Vor den Erziehern waren wir doch nicht sicher, weder tagsüber noch abends. Und spät in der Nacht fühlten sich meine Herren Kollegen von der Flimmerkiste gestört. Doch ich musste es riskieren. Meine Satansbrüder waren wachsam.

Die Wochen vergingen – für mich in einer Art Delirium. Schlaf gönnte ich mir maximal drei Stunden in zwei Nächten. Die restlichen Stunden verbrachte ich mit dem Malen von Totenköpfen, satanischen Symbolen und dämonischen Fratzen. Dabei schmiedete ich Selbstmordpläne und betäubte mich mit Wodka pur.

Eines Abends holten sie mich ab. Mitten in der Woche klingelte es an unserer Tür. Draußen standen zwei Schergen und verlangten dreist, mich zu sprechen. »Mitkommen!«, hieß es nur. Widerstand war zwecklos. Die beiden Hünen nahmen mich in ihre Mitte und klemmten mich zwischen sich auf die Sitzbank des Autos. Wir fuhren zum Industriegebiet. Tausend Fragen zuckten mir durch den Kopf, doch ich hätte mir lieber die Zunge abgebissen, als vor diesen Kerlen mein Gesicht zu verlieren. Hoffentlich spürten sie nicht, wie wild mein Herz klopfte. Eine Zusammenkunft während der Woche war äußerst ungewöhnlich: Beim letzten Mal hatten sie diesen Verräter am Baum aufgeknüpft. Und damals hatte mich Peter abgeholt. Aber diese Aktion hier war offizieller, beunruhigender. Ich tastete nach meinem Springermesser. Erleichtert stellte ich fest, dass ich es bei mir trug. Erst mal abwarten. Sollten sich meine Befürchtungen bewahrheiten, konnte ich mir immer noch selbst das Messer ins Herz rammen. Sterben wollte ich sowieso, aber nicht durch die Folter des Priesters.

Der Priester empfing mich freundlich, fast huldvoll. Die Halle war leer bis auf einen einzigen Jünger, der verloren neben dem Altar stand. Selbstvergessen streichelte er ein Schaf, das festgekettet auf der Marmorplatte lag. Misstrauisch wandte ich mich wieder dem Priester zu. Mit einer Kopfbewegung Richtung Opfertisch befahl er mir, das Schaf zu töten. Seltsam. Doch ich gehorchte. Wortlos. Führte den sinnlosen Befehl aus. Als ich ihm das Herz des Tieres übergab, legte er es achtlos beiseite. Noch seltsamer. Dann begab er sich an den Altar, stach die Halsschlagader des toten Schafes an und füllte den goldenen Totenkopfkelch mit dessen Blut. Und diesmal sah ich es: Er mischte weißes Pulver in das Blut, bevor er mir den Kelch reichte. Seine Stimme lockte: »Trink es aus.« Kaum hatte ich geschluckt, wurde mir schwindelig. Ich hatte das Gefühl, auf einer Wolke zu schweben. Die Worte des Priesters jedoch hörte ich sehr deutlich: »Es ist Zeit für deine vierte Prüfung, Lukas.«

Und nun trat der Jünger vor, dessen Anwesenheit mir bis jetzt völlig unklar gewesen war. Er zeigte mir ein Foto. Es war ein Schnappschuss von einem Mädchen. Höchstens sechzehn, wahrscheinlich jünger. Mit windzerzausten Haaren lachte sie übermütig in die Kamera. »Sieh sie dir gut an«, forderte mich der Priester auf, »denn bei der nächsten Messe wirst du sie Satan opfern.«

15

Ich kam wieder zu mir, als ich vor meiner Haustür unsanft aus einem Auto geschubst wurde. Nur verschwommen nahm ich die entschwindenden Rücklichter der Limousine wahr. Doch die kühle Nachtluft holte mich zurück in die Wirklichkeit: Ich hockte auf dem Fußweg vor unserem Haus. Stille um mich herum, kein Fenster war mehr erleuchtet. War es schon so spät? Meine Uhr zeigte ein Uhr fünfunddreißig! Gegen zehn hatten wir die Halle erreicht, etwa eine halbe Stunde später hielt mir der Priester das Bild meines Opfers unter die Nase. Und seitdem? Ich stöhnte gequält: nicht schon wieder ein Black-out.

Mit brummendem Schädel taumelte ich ins Haus und stürzte an den Kühlschrank. Einen starken Drink brauchte ich jetzt. Sofort. Mit einem Seufzer der Erleichterung entdeckte ich eine Wodkaflasche und riss sie aus dem Kühlfach. Sie war noch voll. Niemand hatte sich daran vergangen. Jetzt hatte ich nur einen einzigen Wunsch: so schnell wie möglich vollkommen besoffen zu sein.

Die nächsten Tage waren das Schlimmste, was ich bis dahin in meinem kurzen Leben durchgemacht hatte. Es war schlicht die Hölle. Ein unbeschreiblicher Kampf tobte in mir. Wie Giganten fochten meine widerstreitenden Gefühle miteinander. Eine Seite in mir schrie unwiderruflich nach Ausstieg: Ich werde da nicht mehr hingehen. Ich kann nicht mehr. Ich will nicht töten. Ich muss da raus. Hilfe!

Die andere Seite aber gemahnte mich an das, was ich war, was ich lebte: Satanismus. Und diese Stimme war zäh und zwang mich zurück in den Abgrund: Ich will doch ein guter Diener Satans sein, wie soll ich denn ohne Satanismus weiterleben? Was soll ich an den Wochenenden anfangen? Woher kriege ich dann noch meine Selbstbestätigung? Das hohe Ansehen, das ich in meiner Gruppe genoss, hatte ich mir schwer erkämpft. Wenn ich mich nun von Satan abwandte, würde es vorbei sein mit meiner Macht, mit meinem dunklen Geheimnis. So viele Jahre hatte ich es erfolgreich gehütet. Habe daraus Kraft geschöpft. Aus, alles aus. Ich fühlte mich wie ein um seinen Stoff bettelnder Alkoholiker, dem man seinen letzten Tropfen Schnaps wegnimmt, wie ein Süchtiger auf Entzug.

In diesem Dilemma wankte ich hin und her, meine Zweifel peitschten mich von einem Extrem ins andere, so, wie ein Orkan die Äste eines Baumes umherwirbelt. Und irgendwann entdeckte ich den, der schuld war an meiner Misere: der Priester. Warum ließ er mich nicht endlich in Ruhe? Dauernd verlangte er mehr, bedrängte mich. Trieb mich immer wieder an. Aber warum hatte er mich diesmal vorgewarnt? Das hatte er doch noch nie getan. Bis jetzt hatte ich niemals gewusst, was in der nächsten Prüfung auf mich zukommen würde. Vielleicht war das Ganze ja nur ein mieser, hinterhältiger Test. Und er wollte nur sehen, ob ich stark und abgebrüht genug war, um nach dieser Ankündigung noch zur nächsten Messe zu kommen. Vielleicht war das ja auch schon ein Teil der nächsten Prüfung. Warum konnte ich nicht einfach Jünger dritten Grades bleiben, so wie bisher? Doch dann fiel mir Peters Oberkörper wieder ein. Übersät von hässlichen Narben. Er hatte sich geweigert, seinen Schwager zu töten, und den Preis dafür bezahlt. Wollte ich etwa auf dem Opfertisch landen? Nein und nochmals nein!

Es war aussichtslos. Einmal flehte ich Satan um Kraft und Vergebung an, dann wiederum wusste ich genau, dass es für mich gar nicht genug satanische Kraft geben konnte, um einen Menschen »einfach so« zu killen. Töten aus Wut, Hass oder Angst, das konnte ich gerade noch nachvollziehen. Aber ein junges, lebenslustiges Mädchen hinzurichten, nur um Satan und dem Priester zu beweisen, dass ich es konnte? Dass ich genug satanische Kraft besaß? Unmöglich! In Satans verkehrter Welt regiert der Hass. Okay. Damit war ich bis jetzt immer gut zurechtgekommen. Aber warum sollte ich jemanden hassen, den ich gar nicht kannte? Das konnte nicht in Satans Sinne sein.

Gut, ich hatte wahllos Tiere getötet und gequält. Die hatten mir auch nichts getan. Da hatte ich mich hineingesteigert in dieses Hochgefühl der Macht über ein anderes Lebewesen. So, wie sie es mir beigebracht hatten. Aber inzwischen hatte sich diese teuflische Schlinge um meinen Hals immer ein kleines Stückchen mehr zugezogen. Mit Versprechungen und Drohungen hatten mich Satans Verbündete bis an den Rand des Abgrunds gelockt. Und ich hatte mich locken lassen. Aber jetzt noch ein Schritt – und ich würde fallen. Tief. Ganz tief. Für immer.

All das durfte ich nicht zulassen. Ich musste mich endlich wehren. Energisch. Ich musste mich retten. Endgültig. Aber wie?

Ich brauchte Zeit. Zeit zum Überlegen. Aber was gab es denn zu überlegen? Wie und wohin ich mich absetzen könnte? Oder wollte ich mich seelisch nur besser auf das scheinbar Unvermeidliche einstellen? Auf die Durchführung dieses Opferrituals, des Mordes?

Zwei Messen hatte ich inzwischen schon geschwänzt. Die Häscher waren bestimmt schon auf mich angesetzt worden. Sie warteten sicher nur auf eine günstige Gelegenheit, mich abzufangen. Aber was, verdammt, konnte ich dagegen tun?

Ängstlich entschlossen, mich meinen Jägern zu entziehen, verkroch ich mich zu Hause. Wenn ich schon raus musste, scheute ich Menschenansammlungen, traute mich weder in einen vollen Bus noch in überfüllte Straßenbahnen. Zu leicht hätte mir jemand im Getümmel unbemerkt ein Messer zwischen die Rippen jagen können. Auch Diskos, gut besuchte Kneipen und Kaufhäuser – ich mied sie alle. Wie ein gehetztes Tier versuchte ich mir den Rücken freizuhalten. Jederzeit und überall.

Es nützte wenig. In der dritten Woche schnappten sie mich. Auf dem Weg zum Schuster. Ganz cool und unauffällig nahmen sie mich in ihre Mitte. Auf dem Fußweg, in aller Öffentlichkeit. Die zwei Kerle überragten mich beide jeweils um gut zwanzig Zentimeter. Und sie waren doppelt so breit wie ich. »Versuch's erst gar nicht«, zischte mir der eine Scherge zu. Sein Mund war zu einem überlegenen Grinsen verzogen, doch seine Augen waren stahlhart und duldeten keine Widerrede.

Sie brachten mich vor den Priester. Sein abschätzender Blick ging mir durch Mark und Bein. Barmherzigkeit kannten diese Augen nicht. Woher auch? Trotzdem war ich wild entschlossen, mein Fernbleiben elegant zu rechtfertigen: »Ich … ich war besoffen und hab mein ganzes Zimmer vollgekotzt. Daraufhin hat mir der Erzieher zwei Wochen Hausarrest aufgebrummt«, log ich. Und schob noch schnell nach: »Sowas ist mir noch nie passiert. Bis jetzt war ich doch regelmäßig hier, hab nie eine Messe versäumt …!« Mit einer abwehrenden Handbewegung unterbrach der Priester meinen Redeschwall. Er musterte mich intensiv. Wortlos. Verflixt nervös machte mich das, doch ich zwang mich, seinen Fischaugen ruhig und gelassen standzuhalten. Nach einer kleinen Ewigkeit sprach er die erlösenden Worte: »Gut, ich glaube dir. Aber nur, weil du bis jetzt ein vorzüglicher und eifriger Schüler der satanischen Lehre warst.« Er schnippte mit den Fingern, und ein Scherge übergab ihm zwei Videokassetten. »Die sind für dich. Darauf sind die Messen aufgezeichnet, die du versäumt hast. Du wirst sie nachfeiern!«

Am liebsten hätte ich vor Erleichterung einen wilden Luftsprung gemacht – ich war noch einmal davongekommen! Doch der Priester war noch nicht fertig: »Wir sehen uns am Samstag, Lukas!« Das war keine Einladung. Das war eine Drohung.

Zu Hause hatte ich ein neues Problem: Wie sollte ich mir diese Videos reinziehen? Unser WG-Recorder war letzte Woche von den Erziehern konfisziert worden. Weil ich mir oft die ganze Nacht Horrorvideos angesehen hatte, wenn ich nicht schlafen konnte. Und darüber hatten sich meine lieben Mitbewohner beschwert. Und deshalb versuchte ich mein Glück an diesem Abend bei Christoph, dem Dienst habenden Erzieher: »Meinst du nicht, es wird Zeit, dass du den Videorecorder wieder rausrückst?« Ich bemühte mich sehr um einen höflichen Ton und ein freundliches Gesicht. Doch Christoph ließ sich davon nicht beeindrucken. Als ich weder mit Versprechungen noch mit Bitten und Betteln weiterkam, schlug meine Stimmung um: »Wo bin ich hier eigentlich? Hier darf man ja gar nichts, im Knast hätte ich ein besseres Leben«, krakeelte ich. Wutschnaubend rannte ich im Wohnzimmer auf und ab. Um meiner Forderung mehr Nachdruck zu verleihen, hämmerte ich mit der Faust gegen Wand und Schränke. Christoph verfolgte meinen Ausraster verständnislos. Es hätte nicht viel gefehlt, und ich wäre auch noch auf ihn losgegangen.

Mein Wutausbruch nützte nichts. Völlig sauer und kurz vorm Platzen stürmte ich in mein Zimmer zurück. Innerlich fluchte ich vor mich hin: Der wird schon sehen, was er davon hat. Einlenken will er nicht, also muss er eben die Konsequenzen tragen. Denn nun musste ich mich wegen dieser »Befehlsverweigerung« bestrafen. Sühnen vor Satan, ihm anders beweisen, dass ich sein gehorsamer Diener war. Bei dieser Selbstbestrafung musste ich Satan mein Blut opfern. So stand es in der Satzung für den Fall, dass man von Ungläubigen an der Durchführung seiner Befehle gehindert wurde.

Ich knallte meine Zimmertür hinter mir zu und knipste die Deckenbeleuchtung an. Hell erleuchtet sollte mein Zimmer sein, aus gutem Grund: Sie sollten alles mitkriegen da draußen vor meinem Fenster. Wie ich mich jetzt bestrafen würde, weil ich den Videorecorder nicht bekam und deshalb die ehrwürdigen Messen nicht nachholen konnte. Denn mit Sicherheit hatten die Schergen im Garten Position bezogen. Wie die Aasgeier überwachten sie jeden meiner Schritte. Sehen konnte ich sie zwar nicht, aber fühlen. Obwohl der Priester mir unerwarteterweise geglaubt hatte, mussten mich die Satanisten jetzt einfach auf dem Kieker haben. Ich war unangenehm aufgefallen. Und da gab's kein Pardon. Ich zündete meine zahllosen, schwarzen Kerzen an, die bei keiner kultischen Handlung fehlen dürfen, und nahm behutsam alle meine selbst gemalten okkulten Bilder von den Wänden. Weil ich so stolz auf meine Meisterwerke war, hatte ich sie sorgsam in Glas gerahmt. Eins nach dem anderen stapelte ich vor meinem Bett. Der erste Akt meines Bestrafungsrituals war vollbracht.

Im zweiten Akt jedoch ging's erst richtig zur Sache: Wie ein Besessener zerschlug und zerbrach ich alle Glasrahmen mit bloßen Händen. Sorgfältig achtete ich darauf, dass die Splitter auch alle auf meinem Bettlaken landeten – für den dritten Akt. Mein Scherbengericht klirrte und krachte gehörig, doch das war mir egal. Christoph sollte ruhig alles mitkriegen. Ich musste mich jetzt bestrafen, weil er mir das Videogerät vorenthalten hatte. Schließlich sollten die Schergen da draußen am Fenster glauben, dass ich alles in meiner Macht Stehende tun würde, nur um die Videos mit den Messen sehen zu können. Vor allem der verfluchte Priester musste weiterhin an mich glauben. Nur dafür musste ich die da draußen überzeugen, dass ich ein treuer Diener Satans war.

Nachdem auch die letzte Glasscheibe zertrümmert war, löschte ich das Licht der großen Lampe. Im warmen Schein der vielen Kerzen zog ich mir meine Klamotten aus. Nur noch mit meiner Unterhose bekleidet, ließ ich mich in das mit Glassplittern übersäte Bett fallen. Kein Schmerz, kein Schrei – nichts als Genugtuung durchströmte mich über den gelungenen dritten Akt meines satanischen Rituals. So, als ginge ich wie üblich zu Bett, deckte ich mich zu und versuchte, mich zu entspannen. Doch es gelang mir nicht. Meine hilflose, brodelnde Wut auf Christoph und sein Verbot steigerte sich zu grenzenlosem Hass. Werde ich je tun und lassen können, was ich will? Oder wird es immer jemanden geben, der meine persönliche Freiheit einschränkt? Im Beschneiden von Rechten waren sie doch alle gleich: Christen oder Satanisten. Aufgebracht warf ich mich in meinem Fakir-Bett hin und her. Tausende von Glassplittern zerschnitten mir die Haut. Sollten sie doch! Irgendwann würde ich einschlafen und dabei verbluten. Morgen früh würde ich tot sein. Eine Lösung für alles. Eine Erlösung für mich. Endlich durchflutete mich ein warmes Glücksgefühl. Alles wird gut.

Es dauerte nicht sehr lange, und Christoph stürzte in mein Zimmer, gefolgt von meinen beiden Mitbewohnern. Wild entschlossen und mit strafendem Blick riss er mir die Bettdecke weg. Er wollte wohl gerade losbrüllen, doch die Worte blieben ihm im Halse stecken, als er mein blutverschmiertes Bett sah. Zuerst rang er sichtlich nach Fassung, doch dann überschlug sich seine Stimme: »Bist du wahnsinnig geworden?«

Blitzschnell grabschte ich nach einer großen Glasscherbe und sprang aus dem Bett. Drohend hielt ich sie ihm entgegen. »Lass mich ja in Ruhe«, flüsterte ich heiser, »du bist doch an allem schuld, du Sadistenschwein. Versuchst an mir dein lächerliches bisschen Macht auszuspielen. Aber nicht mit mir, du jämmerliches, kleines Arschloch. Satan wird es dir heimzahlen. Verschwinde, bevor ich mich vergesse und dir hiermit den Bauch aufschlitze!« Wie ein Boxer tänzelte ich vor ihm herum und stieß die Glasscherbe immer wieder in seine Richtung. Blut lief in langen Fäden an meinen Armen und an meinem Körper herunter auf den Fußboden. Wie massakriert muss ich wohl ausgesehen haben. In Christophs Gesicht spiegelten sich Angst und Entsetzen. Er machte auf dem Absatz kehrt und schob hastig die beiden anderen Jungs mit hinaus.

Dem hatte ich es aber gegeben. Zufrieden legte ich mich wieder hin. Meine rechte Handfläche brannte.

Ich hatte die Glasscherbe so fest umklammert, dass sich ihre scharfen Kanten tief ins Fleisch gegraben hatten. Auch egal.

Doch ich sollte keine Ruhe finden in dieser Nacht. Etwa zwanzig Minuten später flog meine Tür wieder auf. Christoph hatte die Polizei gerufen, und die hatte gleich einen Arzt mitgebracht. Der redete beruhigend auf mich ein und näherte sich mir zögernd, Schritt für Schritt. Er wollte mich untersuchen. Wütend sprang ich wieder aus dem Bett – und strauchelte: Ein Schwindelanfall ließ mich gegen die Wand krachen. Der Arzt wollte mir zu Hilfe eilen, doch kaum war ich wieder halbwegs bei Sinnen, drohte ich ihm mit einer Glasscherbe, die ich rasch von meinem Nachttisch geklaubt hatte: »Wenn du mich anpackst, schneide ich dir die Kehle durch!«

Später erzählte man mir, ich hätte wie ein in die Enge getriebenes Tier in einer Zimmerecke gehockt und lateinische Formeln gemurmelt. Und meine Augäpfel hätten sich so schrecklich verdreht, dass man nur noch das Weiße habe sehen können.

Trotzdem muss ich es irgendwie geschafft haben, mich nochmals hochzurappeln. Mit einem Satz griff ich nach meinem T-Shirt und rannte schreiend in den Flur. Ziellos fuchtelte ich mit einer Glasscherbe in der Luft herum und lief vorbei an all den fassunglosen Leuten hinaus in die Nacht. Weit kam ich nicht – in Unterhose und T-Shirt. Das hätte mir eigentlich klar sein müssen. Normalerweise. Doch in diesem Moment war mir nichts mehr klar. Mein Verstand hatte sich ausgeklinkt. Mein Gehirn war abgeschaltet.

Die Bullen fanden mich schnell und umzingelten mich. Vier von ihnen zielten mit ihren Pistolen auf mich. »Lass die Glasscherbe fallen«, kommandierte einer. Tatsächlich, ich umklammerte das Glasstück immer noch. Ich hob die Arme, drehte mich im Kreis und lachte verbissen: »Erschießt mich doch! Los, macht schon, ihr Memmen!« Sollten sie mir doch die Arbeit abnehmen. Leider konnte ich nicht alle vier gleichzeitig im Auge behalten. Und so gelang es einem, mir die Scherbe aus der Hand zu treten. Ein Zweiter packte mich am Handgelenk und drehte mir hart den Arm auf den Rücken. Polizeigriff. Sie wollten mich mitnehmen und in die Ausnüchterungszelle stecken. Aber ich war doch gar nicht betrunken. Die Bullen kapierten wieder mal gar nichts.

Langsam kam ich wieder zur Besinnung. Mein blutbesudeltes T-Shirt klebte nass und unangenehm an meinem Körper, meine zerschnittenen Hände brannten und zitterten unkontrollierbar. Ich riss mich zusammen und versuchte, die verfahrene Situation zu retten. Bloß nicht aufs Polizeirevier. Bloß nicht aktenkundig werden. Ich musste zurück. Und ich wollte zurück – zu meinen Scherben. Meinen Plan, zu sterben, hatte ich noch nicht aufgegeben. Also sei nett zu den Bullen, befahl ich mir. Zeig ihnen, dass du ganz normal bist, auch wenn du so nicht aussiehst.

Als Christoph wenig später zu uns stieß, unterhielt ich mich bereits ganz friedlich mit den Ordnungshütern. Auch ihm vermittelte ich das Gefühl, wieder voll okay zu sein. Liebenswürdig lächelte ich in alle Richtungen und heuchelte Reue. Und tatsächlich entließ man mich in die Obhut des Erziehers.

Doch kaum war die Polizei außer Reichweite, legte ich meine Maske aus Freundlichkeit ab. Mein wahres Gesicht brach wieder hervor: eine hassverzerrte Fratze. Christoph schielte mich nur einmal kurz von der Seite an. Dann lief er mit hochgezogenen Schultern stumm neben mir her. Wahrscheinlich brannten ihm tausend Fragen auf der Zunge. Doch er wagte nicht, sie zu stellen. Das war sein Glück.

Später schrieb er in einem Bericht an die Heimleitung: »Ich habe noch nie so viel Angst vor einem Menschen gehabt wie in diesem Moment vor Lukas.«

Kaum zu Hause angekommen, verschwand ich wortlos in meinem Zimmer. Es war inzwischen kurz nach Mitternacht. Christoph versicherte sich noch, dass ich das Bettlaken abzog und die Glasscherben im Müll landeten, dann fuhr er nach Hause. Bis zum nächsten Morgen hatte ich sämtliche Spuren meiner okkulten Handlung beseitigt: den Fußboden zwischen meinem Zimmer und dem Bad von Blut und Glasresten befreit und gewienert, nach dem Duschen die Fliesen geschrubbt, das blutdurchtränkte Laken und die blutverschmierten Kleidungsstücke weggeschmissen und sogar den Rest meines Zimmers aufgeräumt. Dass es trotz alledem mächtigen Ärger geben würde, wusste ich. Aber ich hoffte wohl, ich könnte die Erzieher durch meine »Artigkeit« milder stimmen.

Das Donnerwetter kam, und es kam gewaltig. Aber ich öffnete mich meinen Erziehern, erzählte ihnen alles: Von meinen stetig mächtiger werdenden und schier unentrinnbaren Verwicklungen mit den Satanisten, von den Ritualen, von meinem entsetzlichen Hin und Her, meinen Zweifeln, Ängsten und von meinem Entschluss, endlich aussteigen zu wollen. Manchmal mochten sie meinen Schauergeschichten kaum Glauben schenken. Und es fiel ihnen schwer, sich vorzustellen, dass mein Leben von nun an bedroht sein würde. Dass mein Ausstieg gleichbedeutend war mit einer unerbittlichen Jagd auf mich und dass die Satanisten alles daran setzen würden, mich zu finden und mich zu liquidieren.

Am Ende unserer stundenlangen Sitzung konnte ich meine Erzieher doch überzeugen. Und schließlich nahmen sie mich ernst. Denn schon einige Tage später machte mir Timo, einer der Erzieher, ein Angebot: ein unauffälliger Umzug in eine andere Wohngemeinschaft. Dafür verlangte er aber auch eine Gegenleistung von mir: Ich sollte all meine satanistischen Unterlagen, Bücher, Bilder und Videos verbrennen und freiwillig zu einer Beratungsstelle für Sektenopfer gehen. »Du brauchst professionelle Hilfe«, entschied Stefan, ein weiterer Erzieher, »und es wird

Zeit, dass du uns beweist, dass es dir mit dem Ausstieg aus dieser Sekte wirklich ernst ist.«

Warum nannte er meinen Geheimbund so geringschätzig eine Sekte? Und warum sträubte sich alles in mir gegen seine Forderungen? Weil ich tief in meinem Herzen immer noch ein Satanist war. *Vertraue keinem, liebe niemanden, helfe keinem.* Sie boten mir die Gelegenheit, über meine Ängste und Schuldgefühle zu reden. Und sie wollten mir sogar helfen, mich aus meiner Abhängigkeit von diesen Unmenschen zu befreien. Aber zu scharf hatten sich die Prinzipien des Satanismus in meine Seele geätzt. Kein Wunder, vier Jahre lang hatte ich danach gelebt. Deshalb konnte doch niemand ernsthaft von mir verlangen, diese Lebensphilosophie innerhalb weniger Tage über Bord zu werfen. Beziehungsweise ins Feuer. Unmöglich. Diese Unterlagen waren mein Schatz, mein wertvollster Besitz. In all der langen Zeit sorgsam zusammengetragen und mit großem Stolz gehegt und gepflegt. Meine Bibel, das sechste und siebte Buch Mose. Wer verbrennt schon seine Bibel? In einem Anflug von Aufsässigkeit forderte ich Timo heraus: »Und wenn ich meine Sachen nicht verbrennen will?« – »Dann müssen wir dich leider rausschmeißen«, konterte er trocken.

Und so fügte ich mich. Denn vor dem Alleinsein hatte ich noch viel mehr Angst als vor allem anderen.

Stefan überwachte die große Säuberungsaktion persönlich. Gemeinsam und äußerst pingelig durchforsteten wir jeden Winkel meines Zimmers. Alles, was nur im Entferntesten mit Satanismus zu tun hatte, wurde in einen riesigen Pappkarton geschmissen: Bücher, Lehrstoff aus den Kursen, Videobänder, Zeichnungen. Sogar meine schwarzen Kerzen. Aus meinem teuflischen Hab und Gut bauten wir im Garten einen Scheiterhaufen und – zündeten ihn an. Es kostete mich unendliche Überwindung, all meine geliebten Kostbarkeiten den Flammen zu überlassen. Das Feuer fraß meine Vergangenheit einfach auf, vernichtete sie Stück für Stück. Ich konnte den Anblick kaum ertragen. Aber noch etwas anderes ließ mich zittern: Jeden Moment konnte Satan persönlich aus den Flammen aufsteigen, um mich für ewig zu verfluchen – denn ab jetzt war ich ein Abtrünniger, ein Verräter.

Zuletzt blieb mir nur noch meine Bibel. Aber auch von ihr musste ich mich nun trennen. Für immer. Das Buch klebte geradezu an meinen schwitzenden Handflächen. Alles in mir sträubte sich gegen diesen Frevel, es den Flammen zu opfern. Timo ahnte, was in mir vorging. Gutmütig meinte er: »Na, gib schon her.« Und ohne mit der Wimper zu zucken, warf er meine »heilige Schrift« ins Feuer. Ich machte auf dem Absatz kehrt und eilte zurück ins Haus.

Das Telefon klingelte. Es war Peter. Als wüsste er, was ich gerade verbrochen hatte. Doch sein Tonfall war besorgt und freundschaftlich. Eindringlich bat er mich, doch zurückzukommen. »Du weißt doch, was sie mit mir gemacht haben. Du hast keine Chance, Lukas, so sehr ich es dir auch wünsche.« Was sollte ich darauf antworten? Es gab kein Zurück, eben hatte ich dem Satanismus abgeschworen. Endgültig. Peter aber war Satanist. Noch immer. Jetzt hatte ich ihm nichts mehr zu sagen. Wortlos legte ich den Hörer auf die Gabel.

Das erste Mal seit langen Jahren war ich im Begriff, mein Leben wieder in meine eigenen Hände zu nehmen. Es war meine Entscheidung. Aber auch mein Risiko. Wie es nun mit mir weitergehen würde, was mich erwartete, wusste ich nur zu gut. Peters Warnung war überflüssig. Bis jetzt war ich ein überaus gelehriges und williges Werkzeug Satans gewesen. Und so einen Musterschüler wie mich würde der Priester nicht einfach entwischen lassen …

Ich ging in mein Zimmer, legte Pink Floyd auf, angelte eine der vielen Wodkaflaschen unter meinem Bett hervor – und nahm einen kräftigen Schluck. Scheiße, alles Scheiße.

Schon am nächsten Tag zog ich um. Von einer Vierzimmerwohnung in ein Haus. Wow! Im Erdgeschoss lagen Küche, Wohnzimmer, Gästeklo und ein Arbeitsraum für die Erzieher und ich residierte in der ersten Etage. Nicht mehr Parterre, das tat gut. Hier fühlte ich mich bedeutend sicherer als in der alten WG. Meine neuen Mitbewohner, Siggi und Gerd waren mir auch gleich sympathisch. Sie kannten mein Problem. Die Erzieher hatten sie vorgewarnt. Und ich war beeindruckt, dass sie mich trotzdem so freundlich empfingen.

Herr Wegener, der Heimleiter, war inzwischen auch nicht untätig gewesen. Er hatte eine Sektenberatungsstelle für mich gefunden. Timo brachte mich in seinem Wagen zum ersten Termin. Während der zweistündigen Autofahrt hingen meine Augen un-

entwegt im Rückspiegel, denn ich hatte fürchterlichen Schiss, dass mich meine Ex-Brüder verfolgen
würden. Auch in der Beratungsstelle fühlte ich mich
ausgesprochen unwohl. Marlies, die Beraterin, bemühte sich hartnäckig, aber vergeblich, mich aus der
Reserve zu locken. Ich blieb stumm und verstockt
und rutschte unbehaglich auf der Sofakante hin und
her. Okay, ich wollte ja aussteigen, aber musste ich
deshalb meine Gruppe verraten? Geheimnisse aus-
plaudern? Das brachte mich auch nicht weiter. Ich
hatte den satanistischen Ehrenkodex völlig verinner-
licht.

Nach etlichen Wochen einseitiger Gesprächsver-
suche lud mich Marlies zu einem Betroffenen-Wo-
chenende ein. Sie erklärte mir, dass da jugendliche
Aussteiger aus den verschiedensten Sekten zusammenkämen. Lockere Gespräche, neue Leute kennen
lernen, gemeinsam kochen, wandern, schlafen – aber
auch jederzeit die Möglichkeit, sich auszuklinken,
sich zurückzuziehen, wenn einem der Sinn nach
Alleinsein stand. Das Angebot war zu verlockend.
Zwar interessierten mich die anderen Teilnehmer einen Dreck, aber ich wollte raus aus der Stadt, in der
ich lebte. In der es von Satanisten nur so wimmelte.
Ein paar Tage Sicherheit genießen. Ohne Angst leben. Deshalb fuhr ich mit.

Doch das Wochenende bewirkte mehr. Bei Grup-
pengesprächen und Diskussionen hielt ich mich
zwar raus. Aber ich hörte zu und sah genau hin. Wie
Marlies mit diesen jungen Leuten umging, wie sie
auch auf die kniffligsten Fragen immer eine Antwort
wusste und wie sie in heiklen Situationen feinfühlig

reagierte, das faszinierte mich. Vorher hatte ich ihr nicht über den Weg getraut. Hatte keinen Bock auf besserwisserische Belehrungen einer Christin. Doch während dieser zwei Tage lernte ich, dass es Erwachsene gab, die uns – vielleicht wirklich verwirrte – Jugendliche durchaus als gleichberechtigte Gesprächspartner akzeptierten.

In meiner nächsten Sitzung mit Marlies fing ich an zu reden. Zuerst noch stockend und sehr vorsichtig. Jeden Moment darauf gefasst, dass sie mich als Lügner beschimpfen würde. Oder sogar als Spinner. Doch nichts dergleichen geschah. Marlies hörte einfach zu – ernst und aufmerksam. Meine Schilderungen der schwarzen Messen und der grausigen Befehle, die ich ausführen musste, schienen sie nicht zu überraschen. Auch die Angst vor meinen ehemaligen Brüdern hielt sie für durchaus berechtigt.

Zu Hause musste ich dauernd an mein erstes Zusammentreffen mit einem amerikanischen Priester denken. Als ich noch ein Neuling war. Damals hatte er mich wegen meines aufsässigen Denkens brutal zusammengeschlagen. Das hatte ich niemals vergessen. Aber die Warnung, die er mir an diesem Abend mit auf den Weg gegeben hatte, hatte ich sofort wieder verdrängt. Bis jetzt: Mein Unterbewusstsein spuckte sie wieder aus. In einem meiner wirren Albträume. Und nun verfolgten mich diese Worte wie ein lästiges Insekt, ich wurde sie nicht mehr los: »Wenn du gehst, wirst du sterben. Bis zu deinem Tod aber wirst du endlos unglücklich sein.« Diese beiden Sätze beherrschten jetzt mein ganzes Denken und Sein. Bis zu meinem Tod, hatte der Priester gesagt!

Er hatte die Hetzjagd auf mich bestimmt schon freigegeben. Nicht nur seine Schergen, nein, inzwischen war bestimmt die gesamte Meute hinter mir her. Mein Schicksal war besiegelt. Endgültig. Es war alles nur eine Frage der Zeit.

Zwei Wochen hatte ich Ruhe, dann hatten Satans schlaue Diener mein neues Zuhause aufgespürt. Dass das schnell gehen würde, war mir von vornherein klar gewesen. Schließlich lag diese Wohngemeinschaft nur ein paar Straßen von der alten entfernt. Mir war damals nur wichtig gewesen, wenigstens ein paar jämmerliche Tage rauszuschinden, ein paar wenige Tage weiterzuleben, zu überleben. Um in der verbleibenden Zeit vielleicht doch noch einen Ausweg zu finden. Deshalb hangelte ich mich nur noch von einem Tag zum anderen. So, als könnte ich morgen schon tot sein. Konzentrierte meine ganze Kraft darauf, die scheinbar endlosen Nächte zu überstehen und mit meiner lähmenden Angst fertig zu werden.

Die Erinnerung an die folgenden fünf Monate ist brüchig. In meinem Kopf herrschte ein heilloses Durcheinander. Ausgelöst von den Dämonen des Herrn. Sie spielten ein grausames Spiel mit mir. Da ich meine Schreinerlehre abgebrochen hatte und nicht mehr allein aus dem Haus ging, kamen sie nicht an mich heran. Zumindest nicht nah genug, um mich zu töten. Doch ich spürte und sah ihre immer während Gegenwart. Das Böse war überall. Bei Tag und bei Nacht, im Schlaf genauso wie im Wachzustand.

Immer wieder waren mein Zimmerfenster, die Hauswand oder die Haustür mit satanischen Symbolen beschmiert. Aufgesprüht von meinen Verfolgern, als drohendes Zeichen ihrer Gegenwart, als Warnung oder auch als Aufforderung, mich endlich zu stellen. Holte ich jedoch einen Erzieher, um ihm die Zeichen zu zeigen, waren die Symbole wie vom Erdboden verschwunden. Und der Psychoterror, den sie mit mir trieben, wurde immer schlimmer: Der Fernseher schaltete sich ohne mein Zutun aus, aber nur, wenn ich abends allein davor saß. Fünfmal hintereinander. Das war doch kein Zufall. In meinem Zimmer fand ich Papierfetzen, auf denen mir satanische Symbole den Tod ankündigten. Einmal bekam ich ein Päckchen mit einer toten Ratte geschickt. Ein anderes Mal lag ein herausgeschnittenes Herz vor der Eingangstür. Das waren alles Zeichen. Ich sollte wissen, dass sie auf mich warteten. Sie lauerten auf eine Gelegenheit, mich zu greifen. Doch jedes Mal, wenn ich einem Erzieher die Beweisstücke vorlegen wollte, hatten sich die Dinge in Luft aufgelöst. Es trieb mich an den Rand des Wahnsinns, dass ich ihnen nicht beweisen konnte, dass meine Angst begründet war.

Dabei zweifelte eigentlich niemand an meinen Geschichten. Wir waren inzwischen sogar zu einer verschworenen Gemeinschaft zusammengewachsen: Gerd, Siggi, unsere drei Erzieher und ich. Geduldig ließen sie sich abwechselnd jede Nacht von mir zuquatschen. Sie opferten ihren Schlaf, um mich vor dem Durchdrehen zu bewahren. Vier Jahre Hölle – Geheimniskrämerei, Unterdrückung, Gewalttaten und quälende Schuldgefühle – ich redete und redete und redete. Wohl nach dem Motto – solange ich rede, bin ich noch nicht tot. Am wichtigsten war mir dabei, ihnen klar zu machen, wie skrupellos und gefährlich meine Sekte ist. Sie alle waren entsetzt, aber sie glaubten mir. Die Erzieher nahmen die Mordabsichten meiner Ex-Brüder durchaus ernst und ließen unser Telefon freischalten. Damit wir im Ernstfall die Polizei anrufen konnten und damit ich auch nachts, wenn meine Angstzustände unerträglich wurden, mit Marlies von der Sektenberatung sprechen konnte.

Schließlich wechselten sich Siggi und Gerd ab, nachts bei mir zu wachen. So kamen die beide wenigstens abwechselnd zu ihrer Nachtruhe. Marlies klingelte ich unzählige Male aus dem Schlaf: weil Siggi, Gerd und ich meine Jäger gesehen hatten: Gestalten, die durch den Garten huschten. Jedes Mal rief Marlies dann die Polizei. Doch kaum waren die Bullen eingetroffen, war der Spuk im Gebüsch vorbei. So ging die Polizei bald dazu über, nur noch einen Erzieher anzurufen und zu informieren, anstatt auszurücken. Aber wenigstens hatte ich nun Zeugen: Gerd und Siggi.

Trotz all der aufopfernden Unterstützung und dem Halt, den mir meine Mitbewohner gaben, steigerte sich meine Angst ins Unermessliche. Die Gewissheit, auf dem Opfertisch zu enden, zerfraß meine Nerven. Die meiste Zeit verkroch ich mich im Bett: zusammengekauert und mit dumpfem Gemüt. Zitternd und wahnsinnig vor Furcht. Vor allem die nächtliche Stille brachte mich um den Verstand, sie machte mich komplett verrückt, und dann brauchte ich Marlies. Oft rief ich sie heulend und schluchzend an, in dem festen Glauben, den nächsten Tag nicht mehr zu erleben. In solchen kritischen Situationen verstand sie es jedes Mal, mich mit einfühlsamen Worten ein wenig zu beruhigen. Trotzdem nahm ich mir jeden Abend aufs Neue vor: Du schaffst es auch allein. Die Jungs sind ja im Haus, du bist nicht verlassen. Es half nichts. Schließlich schlief ich nur noch mit einem Messer in der Hand. Die Erzieher wussten das. Und sie duldeten es. Sie hofften, das Messer würde mir die nötige Sicherheit geben, um auch mal wieder eine Nacht durchzuschlafen. Leider war das nicht der Fall. Auch das Messer änderte nichts an meiner Überzeugung, dass jeder Moment mein letzter sein könnte.

Wenn ich morgens endlich total erschöpft eindämmerte, tobte sich mein Unterbewusstsein in meinen Träumen aus. Dämonen, zerstückelte Menschenleichen, schmerzverzerrte Kindergesichter und im Todeskampf weitaufgerissene Tieraugen verfolgten mich, hetzten mich. Wenn ich dann laut schreiend und schweißgebadet aufwachte, war mir, als hätte ich kein Auge zugetan. Was war das für ein unwürdiges Leben? Bei Tag grausige Albträume, die eine bleierne Müdigkeit hinterließen. Bei Nacht panische Furcht vor den Satanisten und quälende Gewissensbisse wegen meiner eigenen Gräueltaten. Nach und nach dämmerte es mir, was ich als Satanist alles angerichtet hatte. Und was der Satanismus mit mir gemacht hatte. Ich war ein Wrack. Körperlich und seelisch am Ende. Vor allem seelisch, jeder sah das, nur ich konnte es nicht erkennen. Viel zu sehr war ich in meine Angst verstrickt.

»Du brauchst psychiatrische Hilfe, Lukas«, stellte Timo eines Tages fest. »Du stichst noch mal Gerd oder Siggi ab, wenn sie mal nachts zur Toilette gehen. Nur weil du sie in deinem Wahn für Satanisten hältst.« Die Erzieher hatten es inzwischen auch mit der Angst zu tun bekommen. Nicht so sehr wegen der Satanisten, sie sorgten sich mehr um ihre anderen Schützlinge. Immer öfter bedrängten mich die Erzieher jetzt, doch freiwillig in eine Klinik zu gehen. Doch davon wollte ich absolut nichts hören. Hatte ich etwa einen Dachschaden? Oder Wahnvorstellungen? Dass ich belauert, beobachtet und verfolgt wurde, das bildete ich mir doch nicht ein. Das war doch Tatsache. Gerd und Siggi waren Zeugen. Also was, verdammt nochmal, sollte ich in einer psychiatrischen Anstalt?

Doch irgendwann musste ich einsehen, dass ich eine ungeheure Belastung für alle war. Inzwischen war es Mitte November. Seit fast fünf Monaten raubte ich meinen Mitbewohnern und Erziehern mehr oder weniger regelmäßig die wohlverdiente Nachtruhe. Ich ging ja nicht zur Arbeit und schlief tagsüber, wenn die anderen völlig übermüdet malochen mussten. Es konnte so mit mir nicht ewig weitergehen. Ständig nichts als Todesangst. Mir wurde klar, dass ich mein sicheres Ende nur selbstquälerisch hinauszögerte. Satan gewinnt immer.

In den Lehrstunden hatte der Priester ja oft die Tüchtigkeit seiner Häscher gepriesen: »Bis jetzt hat noch keiner einen Ausstiegsversuch überlebt. Früher oder später erwischen diese Männer jeden.« Dabei war es nicht der Tod, den ich so sehr fürchtete. Es war die qualvolle Folter, das langsame, grausame Absterben davor, dem ich um jeden Preis entrinnen musste. Ich musste. Jetzt gab es nur noch eine Chance für mich: mich selbst umzubringen. Ich besorgte mir starke Beruhigungspillen. Hinuntergespült mit einer Flasche Wodka, würden sie mich erlösen. Für immer.

Doch Silke, unsere Erzieherin, fand die Tabletten, bevor ich meinen Plan verwirklichen konnte. Und beschlagnahmte die Schachtel. »Warum soll ich mich nicht umbringen? Ich will nicht in die Psychiatrie, und ich will euch nicht länger belasten«, tobte ich. Draußen im Garten standen wieder die Schergen. Ich konnte nicht mehr und holte zum Gegenangriff aus: Ich lief in die Küche, kramte zwei große, scharfe Messer aus der Schublade hervor und befestigte sie mit Klebeband an meinen Unterarmen. So bewaffnet rannte ich hinaus in den Garten. Mit weiten, entschlossenen Schritten hetzte ich wie ein Bluthund über den Rasen, ging auf jeden Busch los und umrundete jeden Baum. Todesmutig brüllte ich in die Dunkelheit: »Ich weiß doch, dass ihr da seid. Kommt schon raus. Ich schlachte euch alle ab! Wo steckt ihr, ihr Memmen?« Plötzlich packten mich zwei Arme. Stimmen redeten auf mich ein. Es waren Silke und Gerd. Sie zogen mich zurück ins Haus, nahmen mir vorsichtig die Messer ab und versuchten, mich zu beruhigen.

Am nächsten Morgen gab es eine Krisensitzung. Alle Erzieher, die Heimleitung und Marlies kamen zusammen, um über mein weiteres Schicksal zu beraten. Zu guter Letzt wurde ich dazugerufen. Stundenlang redeten sie auf mich ein, um mich zu bewegen, in ein Krankenhaus zu gehen. Auf die Psychiatrische. Marlies versprach mir, eine Klinik in einer anderen Stadt für mich zu finden. Da würden mich meine Peiniger nicht so schnell aufstöbern. Und sie erklärten mir, dass es besser für mich sei, freiwillig zu gehen. Denn dann könnte ich die Klinik auch jederzeit wieder verlassen. Gleichzeitig drohten sie mir aber, mich zwangseinweisen zu lassen, sollte ich mich weiter sträuben. Dann nämlich hätte ich meine Chance verspielt, ohne die Einwilligung der Ärzte wieder entlassen zu werden. Also blieb mir keine Wahl: Ich musste einem freiwilligen Aufenthalt in der psychiatrischen Abteilung eines Krankenhauses zustimmen.

Trotzdem landete ich zuerst auf der geschlossenen Station. Marlies meinte, da würde ich mich sicherer fühlen. Doch es war grauenhaft. Nur Idioten und Drogenabhängige um mich herum. Mit niemandem konnte man reden. Nach einer Woche machte ich Rabatz und drohte, alles kurz und klein zu schlagen, wenn sie mich nicht in die offene Abteilung verlegen würden. Die Ärzte gaben mir meinen Willen. Dort, auf Station vier, blieb ich dann. Fünf Monate. Die Therapeuten nannten es »Wiedereingliederung in die Gesellschaft«. Für mich war die Klinik ein Asyl, eine Zufluchtsstätte, in der es mir mühsam gelang, meine Angst abzustreifen und neuen Lebensmut zu gewinnen. Es war eine Zeit ungeheuerlicher Qualen, eine schwere Zeit – aber es war auch ein neuer Anfang. Meine große Chance.

17

Während meines Klinikaufenthalts bemühten sich die Heimleitung und Marlies darum, für mich eine Wohnung in einer anderen Stadt zu finden. Denn allen war nur zu klar: In meine alte Umgebung konnte und durfte ich nicht zurück.

Doch noch bevor ich die Klinik verlassen habe, geschah etwas Wunderbares: Ich lernte Petra, meine heutige Lebensgefährtin kennen. Im Krankenhaus. Sie hat es geschafft, mir neuen Lebenswillen und neuen Mut zu geben. Petra hat in mir den Wunsch geweckt, mein Dasein neu zu ordnen, neue Perspektiven zu suchen und mein Leben wieder in den Griff zu bekommen. Mit Erfolg, denn nach und nach wollte ich es auch, ein neues Leben. Ohne Satan. Stattdessen mit einer Frau, die mich liebt. Die keine unnützen Fragen nach meiner Vergangenheit stellt und mich mit all meinen Fehlern und Schwächen mag, die mich unterstützt und zu mir aufsieht. Ich brauche es immer noch, mich als der Stärkere zu fühlen. Vielleicht werde ich das immer brauchen.

Mit Petra kehrte er wieder, der Traum vom normalen Leben, den ich als Satanist jedes Mal wütend beiseite geschoben hatte, sobald er in mir aufgestiegen war. Und nun war er auf einmal zum Greifen nahe. Es lag nur an mir, ihn zu verwirklichen. Petra brauchte mich genauso sehr wie ich sie. Und zusammen waren wir stark. Nur dann.

Als ich aus der Klinik kam, waren Marlies' Wohnungangebote gar nicht mehr nötig. Petra und ich zogen zusammen. In der Stadt, in der sie lebte, suchte ich mir eine neue Lehrstelle und beendete die Ausbildung.

Peter habe ich nie wieder gesehen. Er war mein Freund, aber gerade deswegen ließ er mich in Ruhe, hat nicht versucht, mich aufzuspüren. Das habe ich ihm hoch angerechnet. Denn als Satanist hätte er mich am Ende verraten müssen. Sein Schweigen hieß für mich: Er wünscht mir Glück. Trotzdem plagte mich immer wieder die Ungewissheit, was wohl aus ihm geworden war. Bei der Arbeit zu diesem Buch, als so viel Schreckliches wieder hochkam, war auch Peter immer wieder ein Thema. Irgendwann konnte ich dieser ungeklärten Frage nach Peter nicht länger aus dem Weg gehen: Ich musste herausfinden, was aus ihm geworden war. Vielleicht hatte er ja auch den Absprung geschafft. Also wagte ich einen Anruf bei seiner Schwester. Peter ist spurlos verschwunden. Er gilt als vermisst.

Meine schrecklichen Träume suchen mich immer noch heim. Der Mann mit dem Messer. Und meine Angst, von den Satanisten doch noch entdeckt zu werden, wird mir bis ans Ende meiner Tage niemand nehmen können. Auch mit der Gewissheit, niemals ein »normales« Leben führen zu können, muss ich alleine fertig werden. Ich bin heute einundzwanzig Jahre alt, aber ich besuche weder Diskos noch andere Veranstaltungen, bei denen man mit Gedränge rechnen muss. Ich kann nicht ins Schwimmbad gehen, weil mein Körper vernarbt ist. Die Tätowierung, die mich als Satanist brandmarkte, habe ich mir zwar entfernen lassen, doch allein die Narbe ist für Szenenkenner verräterisch. Im Handschuhfach meines Autos liegt eine Browning. Ohne Messer in der Tasche gehe ich nicht auf die Straße. Nicht, weil ich jemanden töten will, sondern weil ich mich umbringen werde, sollten mich die Schergen ausfindig machen.

Im Schlaf falle ich noch oft in Trance. Niemand kann mich da rausholen, niemand schafft es, mich zu wecken. Wie ein Wilder schlage ich um mich, während mein Gesicht zu einer blutleeren Maske gerinnt. Meine Augen sind halb geöffnet, und ich murmele lateinische Formeln. Ich habe nie Latein gelernt. Manchmal stehe ich in Trance auf und will mich aus dem Fenster stürzen. Bis jetzt konnte Petra das jedes Mal verhindern. In solchen Nächten schläft Petra auf dem Fußboden neben unserem Bett, damit ich sie nicht verletze. Am nächsten Morgen kann ich mich an nichts erinnern. Auch Black-outs habe ich heute noch. Die sind mir besonders unheimlich. Ich weiß davon, weil es schon öfter im Beisein von Freunden passiert ist.

Doch das Schlimmste sind meine Schuldgefühle. Zu viele Menschen habe ich ins ins Unglück gestürzt, gequält und misshandelt. Meine Schuld wird bleiben, was immer ich auch tun werde. Und sie wird weiter an mir nagen, mich zerfressen – so, wie es mir der amerikanische Priester damals prophezeite: »… bis zu deinem Tod aber wirst du grenzenlos unglücklich sein.«

Warnung an meine ehemaligen Glaubensbrüder:

Zu meiner Sicherheit habe ich sämtliche mir bekannten Namen von Lebenden und Toten sowie gewisse Ortsangaben an mehreren Stellen notariell hinterlegt. Sollte mir, meinen Angehörigen oder Freunden etwas zustoßen, das nach einer satanistischen Racheaktion aussieht, ist der Notar angewiesen, diese Umschläge zu öffnen und entsprechende Ermittlungen einzuleiten.

Nachwort

*von Marlies, die Lukas während seines Ausstiegs
betreute*

»Hatten *Sie* eine Mutter, die sie liebt?« Dieser Satz
von Lukas hat sich in mein Hirn eingefressen.

Wir sitzen uns zum ersten Mal gegenüber, Lukas
in Begleitung eines Erziehers und ich. Neben wenigen gestammelten Worten und floskelartigen Satz-
fetzen ist es der einzige konkrete Satz, den er mir
gleichsam stellvertretend für alle Welt entgegen-
schleudert. Wie mir scheint, drückt dieser Satz das
gesamte Ausmaß seiner Verzweiflung, seiner Resig-
nation aus. Heißt es, mir kann ja sowieso keiner helfen, bei mir ist von Anfang an alles falsch gelaufen,
meine Verletzungen sind nicht zu heilen? – Denn
wer könnte ihm tatsächlich die Erfahrung einer lie-
benden Mutter nachvermitteln? – Oder will er mich
damit in meine Grenzen verweisen: Du kannst mich
keinesfalls verstehen, du hattest ja ganz bestimmt eine Mutter, die dich liebt. Ist es der abwehrende Versuch, nicht »auspacken« zu müssen, aus vielerlei
Gründen vielleicht?

Für mich lag in dieser Aussage ganz deutlich der
Hinweis, dass Lukas sich bereits mit dem *Warum* beschäftigt, dass er nach einem Weg sucht, den Anteil

seiner Schuld herauszufinden. Lukas war nicht auf eigenen Wunsch in unsere Einrichtung gekommen. Der Psychologe des Heims, zu dem Lukas' Wohngemeinschaft gehörte, hatte mich am Tag zuvor telefonisch davon verständigt, dass ein Jugendlicher einen Suizidversuch unternommen habe. Er sei von einem Betreuer blutüberströmt in seinem Bett gefunden worden. Der Junge habe das Glas seiner Bilderrahmen zu Scherben zerbrochen, diese in seinem Bett verstreut und sich darin gewälzt. Arzt und Polizei seien gerufen worden, hätten jedoch unverrichteter Dinge wieder abziehen müssen: Es sei nicht möglich gewesen, den Jungen in ein Krankenhaus zu bringen. Nun habe sich herausgestellt, dass Lukas – um den ging es – Satansanhänger sei.

Gleich für den nächsten Tag wurde ein Gespräch mit Lukas vereinbart. Durch die jahrelange Arbeit mit Satanisten wissen wir, dass ohne Verzögerung Hilfestellung gegeben werden muss. Zum einen wird Satanisten meist bei ihrer ersten Begegnung mit dem Kult eingeschärft, dass Aussteigern Fürchterliches passieren werde. In der Regel wird knapp und klar damit gedroht, dass das den Tod bedeute. Während ihrer Kultzugehörigkeit erleben die Kultmitglieder oft mit, auf welch brutale Weise Abtrünnige zurückgeholt werden. Zum anderen aber wird die Strafe Satans erwartet. Sei es also die Angst vor dem Kult oder die Angst vor Satan, höchste Gefahr ist in Verzug. Lukas hatte ja bereits versucht, sich das Leben zu nehmen.

Lukas wurde von seinem Begleiter bei uns zur Tür hereingeschoben. Er trug helle Kleidung, was ungewöhnlich für einen Satanisten ist, die meist von Fuß bis über die Haarspitzen in Schwarz gehen. Bei der Begrüßung sah er mich nicht an. Im Verlauf des Gesprächs saß er zusammengekauert auf der Couch und blickte stur zu Boden. Sein Gesicht war ohne Leben. Wenn er etwas sagte, waren es wenige gestammelte Worte wie: »Die holen mich … «

Wie er zu verstehen gab, wollte er sich das Leben nehmen, weil ein Ausstieg unmöglich ist. Und ein Satanist müsse für Satan würdig, also qualvoll sterben … Deswegen die Scherben.

Der Betreuer und ich versuchten zunächst, so weit es möglich war, mit Lukas zusammen Maßnahmen zu seiner äußeren Sicherheit zu treffen. Ein Umzug in eine andere WG war rasch durchzuführen. Mitbewohner und Betreuer wollten ihn abschirmen. Regelmäßige, kurzfristig terminierte Gespräche wurden vereinbart.

Als Lukas bei der Verabschiedung an der Tür seinen Blick vom Boden hob und mich für einen Moment ansah, wusste ich, dass etwas angekommen war. Es folgten Gespräche, sowohl in unserer Beratungsstelle als auch in der WG bei Lukas. Doch es ging nicht recht voran. Ein schier unüberwindliches Hindernis schien mir seine Haltung: Mir kann keiner helfen – so viel Schlimmes, wie ich erlebt habe, kann niemand begreifen. Und er blockierte viele Ansätze mit seiner von abgrundtiefem Misstrauen geprägten Einstellung: Alle wollen mir etwas anhaben – alle sind gegen mich. In den Gesprächen gab's im Wesentlichen nur zwei Themen: seine Klage in Bezug auf die Satanisten, die Erzieher, das Heim, die Situation und Ähnliches – und natürlich die Angst, vom Kult zurückgeholt zu werden. Wie das geschieht, wusste er ja.

Wenn jemand aus einem Satanskult aussteigen will, ist immer eine sofortige anderweitige Unterbringung in möglichst großer Entfernung ratsam. Lukas widersetzte sich energisch solchen Überlegungen, da er keinesfalls seine Ausbildung abbrechen wollte. Mir schien das ein ausgesprochen stabiler Punkt zu sein – der nach Möglichkeit nicht gefährdet werden durfte. Der Ausbildungsabschluss war sein absolutes Ziel, und er hatte auch schon Gedanken an eine Spezialisierung in seinem Beruf. So blieb nur die Hilfe seines Umfeldes, ihn abzusichern. Lukas' Situation glich in vielfacher Hinsicht der eines Gefangenen: sowohl äußerlich, denn er konnte sich keinen Schritt frei bewegen, als auch innerlich: Er war gefangen in Angst.

Seinen schrecklichen Träumen versuchte er zu entkommen, indem er sich selbst mit aller Kraft am Schlafen hinderte: Nachts saß er im Bett, die Kopfhörer des Walkmans auf den Ohren, und betäubte sich mit Alkohol. In dieser Zeit war durch unsere Einrichtung ein Wochenende für Sekten- und Kultaussteiger geplant. Auf meine Einladung, mitzukommen, reagierte er stur mit Ablehnung. Ich wollte ihn wenigstens zwei Tage aus seinem »Sumpf« holen und hatte die Hoffnung, dass die Begegnung mit anderen Menschen, die ebenfalls eine intensive Phase der Abhängigkeit erlebt hatten, ihm Wege der Bewältigung zeigen würde. Ich störte mich nicht an seinem Nein, sagte ihm, wann ich ihn abholen würde … und das erste Wunder geschah: Er wartete mit seiner Tasche. Das Wochenende hat für Lukas die Wende gebracht. Freudig konnte ich am Montag danach unseren Mitarbeitern berichten, dass Lukas aufgebrochen war: innerlich aufgebrochen – er begann zu sprechen – und äußerlich – er machte sich auf den Weg. Das Stumpfe seines Ausdrucks war weg, sein Gesicht war offen geworden. Er konnte lachen, Witze machen, mit Mädchen flirten… In Gesprächsrunden ging er einfühlsam auf Situationen und Nöte anderer ein.

Meine ganze Hoffnung, dass es nun aufwärts gehen würde, fiel jedoch zunächst wieder zusammen. Zu Hause in seiner Umgebung geriet er sofort wieder in das alte Muster. Aggression nach außen – Angst nach innen, die sich von Tag zu Tag steigerte. Oft rief er mich voller Panik an, auch nachts, wenn er draußen Schatten der Schergen gesehen hatte. Er hörte Geräusche und machte Beobachtungen, die für ihn Beweise waren: Jetzt holen sie mich. Ich versuchte, ihn am Telefon zu beruhigen, rief die Kripo an, verständigte den Dienst habenden Erzieher. Auch die Mitbewohner der WG riefen mich an, wenn sie nicht mehr mit ihm fertig wurden. Es war zu befürchten, dass Lukas in seiner panischen Angst die Wirklichkeit nicht mehr wahrnehmen und die Mitbewohner für Schergen halten würde. Nachts hatte er ständig ein Messer an die Hand gebunden, damit er immer zur Abwehr bereit sei. Es hätte jederzeit ein Mord passieren können.

Für mich stand fest: Lukas musste in die geschlossene Abteilung einer Psychiatrie. Nur dort war er vor Verfolgung sicher, nur dort konnte sich sein Zustand entspannen und er zur Ruhe kommen. Es war ein hartes Stück Arbeit für die Erzieher und mich, ihn dazu zu bewegen. Nach stundenlangem Herumtelefonieren erklärte sich ein Chefarzt, der mir schon mehrmals in kritischen Situationen mit Klienten Unterstützung gegeben hatte, zur Aufnahme von Lukas in seine Psychiatrie bereit.

Unsere Gespräche konnten während seines stationären Aufenthaltes in sehr gutem Einvernehmen mit den Ärzten weitergeführt werden. Im Laufe der Zeit kam nach und nach Brocken für Brocken aus seiner Satanistenzeit hoch. Jetzt ging es darum, die Erlebnisse zu verarbeiten. Dazu bereitete ihm manches Verhalten Kummer, das sich in seiner Kultzeit eingeschliffen hatte, beispielsweise die Brutalität. Ohne dass er es wollte, wurde er immer wieder sehr grob, quälte sogar Menschen, die er gerne mochte, seelisch und körperlich. Hatte er doch jahrelang die Lehre gelebt, dass Liebe in Hass verwandelt werden müsse.

Und Lukas heute? Er ist ein selbstbewusster junger Mann geworden. Er hat erkannt, dass das Leben trotz ungünstiger Bedingungen sowie vieler und schwerer Hindernisse gelingen kann, wenn man es in die eigene Hand nimmt. Er weiß, dass sein Prozess der Aufarbeitung noch nicht abgeschlossen ist. Aber er weiß auch, dass in ihm ein »guter Grund« ist, ein Potenzial, das immer mehr entfaltet werden will. Ab und zu besucht er mich und erzählt mir von seiner Arbeit, von seinen Plänen, von seiner Freundin, vom Urlaub ... Immer seltener bittet er um ein Gespräch.

Aber manchmal muss ich ihn bitten, ganz schnell zu kommen. Nämlich dann, wenn wieder jemand bei mir sitzt, der nicht glauben kann, dass Ausstieg möglich ist. Lukas ist mir dann ein sehr einfühlsamer »Co-Therapeut«. Er kann das, was ich niemals können werde, er kann bezeugen: Ich hab's geschafft, du kannst es auch.

Informations- und Beratungsstellen für Sektenopfer

Deutschland

Sekten-Info Bochum
Verein zur Förderung der
Sekten-Info e.V.
Amtsstraße 4
44809 Bochum
Tel. 02 34/57 81 56

Sekten-Info Essen e.V.
Rottstraße 4
45127 Essen
Tel. 02 01/23 46-46 od. 48
Fax 02 01/20 76 17

Arbeitsstelle für Religion und
Weltanschauungsfragen
Pastor Dr. Ralf Geisler
Postfach 2 65
30002 Hannover
Tel. 05 11/1 24 19 72
Fax 05 11/1 24 19 41

Dr. Rüdiger Hauth
Referent für Sektenfragen der
Westfälischen Landeskirche
Postfach 10 10 51
44010 Dortmund
Tel. 02 31/54 09 60

Österreich

Gesellschaft gegen Sekten-
und Kultgefahren
Obere Augartstraße 26/28
A- 1020 Wien
Tel. 00 43/1/3 32 75 37
Fax 00 43/1/3 32 35 13

Schweiz

SADK
Schweizerische Arbeitsgruppe
gegen destruktive Kulte
Postfach 90
CH-3186 Düdingen
Tel./Fax 00 41/71/3 71 11 12

Internet

http://griess.st1.at
http://www.sekten.de

Bei diesen Beratungsstellen können Sie erfahren, wo Sie in Ihrer Nähe professionelle Hilfe finden.

Scientology: Eine Karriere, ein tiefer Sturz, ein neuer Anfang

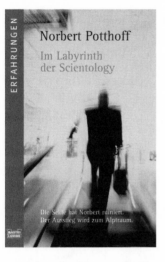

Norbert Potthoff
IM LABYRINTH
DER SCIENTOLOGY
Die Sekte hat Norbert ruiniert.
Der Ausstieg
wird zum Alptraum
304 Seiten
ISBN 3-404-61392-9

Nachdem Norbert Potthoff einen viel versprechenden Auftrag für die Scientologen angenommen hat, gerät er unter den Einfluss der Sekte. Er wird überzeugter Scientologe und trennt sich sogar von seiner Frau, um bei der Sekte eine steile Karriere zu beginnen.

Vier Jahre später steht er vor den Trümmern seiner bürgerlichen Existenz. Er hat den Kontakt zu seinen Freunden verloren und ist völlig verschuldet. Sein Versuch auszusteigen, wird zum Alptraum ...

Bastei Lübbe Taschenbuch

»Zwischen Gott und dem Nichts
ist nicht viel Spielraum.«

Michel Benoît

Michel Benoît
GEFANGENER GOTTES
Schweigen, Keuschheit,
Gehorsam bestimmen
Michels Leben.
Doch eines Tages muss er
das Kloster verlassen.
368 Seiten
ISBN 3-404-61272-8

Michel ist 21 Jahre alt, als er sich entschließt, der Welt zu ent-
sagen und Mönch zu werden. Sein Leben als Bruder Irénée
dauert zwanzig Jahre.

In diesem Buch lässt er den Leser am streng reglementierten
Leben hinter Klostermauern teilnehmen. Er beschreibt den Alltag der Mönche, ihre Einsamkeit, ihren Umgang mit Sexualität.
Als Michel versucht, Reformbeschlüsse in seinem Orden durch-
zusetzen, muss er erkennen, dass dessen mittelalterliche Struk-
turen undurchdringlich sind. Schließlich wird er der Kirche zu
unbequem ...

Bastei Lübbe Taschenbuch